De quoi t'ennuies-tu, Éveline?

ŒUVRES DE GABRIELLE ROY

Bonheur d'occasion, roman, 1945 (coll. « Boréal Compact » 1993).

La Petite Poule d'Eau, roman, 1950 (coll. « Boréal Compact » 1993).

Alexandre Chenevert, roman, 1954 (coll. « Boréal Compact » 1995).

Rue Deschambault, roman, 1955 (coll. « Boréal Compact » 1993).

La Montagne secrète, roman, 1961 (coll. « Boréal Compact » 1993).

La Route d'Altamont, roman, 1966 (coll. « Boréal Compact » 1993).

La Rivière sans repos, roman, 1970 (coll. « Boréal Compact » 1995).

Cet été qui chantait, récits, 1972 (coll. « Boréal Compact » 1993).

Un jardin au bout du monde, nouvelles, 1975 (coll. « Boréal Compact » 1994).

Ma vache Bossie, conte (1976).

Ces enfants de ma vie, roman, 1977 (coll. « Boréal Compact » 1993).

Fragiles Lumières de la terre, écrits divers, 1978 (coll. « Boréal Compact » 1996).

Courte-Queue, conte (1979).

De quoi t'ennuies-tu, Éveline? suivi de *Ély! Ély! Ély!,* récits, 1979 (coll. « Boréal Compact » 1988).

La Détresse et l'Enchantement, autobiographie, 1984 (coll. « Boréal Compact » 1996).

L'Espagnole et la Pékinoise, conte (1986).

Ma chère petite sœur, lettres (1988).

Le temps qui m'a manqué, autobiographie (1997).

Gabrielle Roy

De quoi t'ennuies-tu, Éveline?

suivi de

Ély! Ély! Ély!

récits

Boréal

Les Éditions du Boréal remercient le Conseil des Arts du Canada
ainsi que le ministère du Patrimoine canadien et la SODEC
pour leur soutien financier.

Couverture : F. H. Varley, *Configuration de montagne* (détail), vers 1929. Huile sur
contre-plaqué, 30,2 x 37,8 cm. Musée des Beaux-Arts du Canada, Ottawa.

© Fonds Gabrielle Roy
Dépôt légal : 4ᵉ trimestre 1988
Bibliothèque nationale du Québec

Diffusion au Canada : Dimedia
Diffusion et distribution en Europe : Les Éditions du Seuil

Données de catalogage avant publication (Canada)

Roy, Gabrielle, 1909-1983
    De quoi t'ennuies-tu, Éveline ? suivi de Ély ! Ély ! Ély !
    (Boréal compact ; 8)
    ISBN 2-89052-270-9
    I. Titre. II. Titre : Ély ! Ély ! Ély ! III. Collection.

PS8535.O84D47   1988   C843'.54   C88-096610-6
PS9535.O84047   1988
PQ3919.2.R69   1988

DE QUOI T'ENNUIES-TU, ÉVELINE? a été
publié pour la première fois à la fin de
1982 par les Éditions du Sentier; cette
édition était limitée à 200 exemplaires.
Dernier texte publié par Gabrielle Roy
avant sa mort en juillet 1983, ce récit,
demeuré jusqu'alors inédit, avait été écrit
au début des années soixante, dans ce
qu'il est convenu d'appeler le «cycle» de
RUE DESCHAMBAULT et de *LA ROUTE
D'ALTAMONT.*

Quant à *ÉLY! ÉLY! ÉLY!*, Gabrielle Roy a
écrit cette nouvelle à la fin de 1978 et au
début de 1979, d'après les souvenirs d'un
voyage que, jeune journaliste, elle avait
fait dans les Prairies, en 1942. *ÉLY! ÉLY!
ÉLY!* n'a été publié jusqu'ici qu'une seule
fois, dans le nᵒ 123 de la revue *LIBERTÉ*
(mai-juin 1979).

DE QUOI T'ENNUIES-TU, ÉVELINE?

à François Ricard

*D*ANS sa vieillesse, quand elle n'attendait plus grande surprise ni pour le cœur ni pour l'esprit, maman eut une aventure. Elle lui arriva par Majorique, le frère qu'elle n'avait jamais cessé de chérir tendrement, peut-être parce qu'il menait la vie qu'elle eût aimée pour elle-même : partir, connaître autant que possible les merveilles de ce monde, traverser la vie en voyageur. Toute sa vie d'adulte, captive de son foyer, de ses devoirs, jamais maman n'avait abdiqué son désir de liberté, et quand la liberté vint enfin, ce fut avec la douleur des séparations. Son mari au cimetière, ses enfants dispersés, elle eut le cœur enchaîné par les souvenirs et le chagrin. Et d'ailleurs, elle n'avait plus ni bonnes jambes ni le cœur très solide. Ainsi va la vie sans doute. Et pourtant, c'est alors que maman eut sa récompense. Un jour de janvier,

ÉVELINE

au Manitoba, elle reçut de Californie ce curieux
télégramme :

*Majorique à la veille du grand départ
souhaite revoir Eveline. Argent suit.*

QUE pouvaient signifier ces mots: *à la veille du grand départ*? Que Majorique était très malade, sur le point de mourir peut-être? Ou bien qu'il s'apprêtait à partir pour une autre destination tout simplement? Depuis des années, dans ses lettres, il laissait entendre qu'il ne finirait pas nécessairement ses jours en Californie, tout heureux qu'il y fût, car mille choses restaient encore à voir. Et souvent, oui, très souvent, il parlait des îles... Lesquelles? lui demandait-on. Et alors il en nommait quelques-unes en riant à sa façon secrète: «Honolulu peut-être, ou les îles Fiji... peut-être bien la Nouvelle-Zélande et l'Australie qui sont aussi des îles... et même les continents sont des îles...» Maintenant qu'elle y pensait, Eveline se rappela que toute sa vie Majorique avait eu ce mot aux lèvres, l'associant à quantité d'idées abstraites. Ne disait-il pas à tout propos: l'île du bonheur, l'île des trésors, l'île des aventures...?

Le télégramme entre les mains, Eveline restait songeuse, hésitant — et cela lui parut presque inconvenant, mais qui au fond avait été plus inconvenant que Majorique? — hésitant entre l'inquiétude et l'émerveillement. Comme c'était bien là la marque de Majorique, pensat-elle, de laisser les gens en suspens, aux frontières de la joie et du chagrin.

Mais soudain, Eveline se reprit: qu'avait-elle donc à tant hésiter? Majorique la demandait et, quelle que fût son intention, elle devait accourir sur-le-champ.

Avait-elle seulement idée de la distance entre Winnipeg et ce petit village de Californie où habitait Majorique: Bella Vista? Probablement pas, car la folie de son frère, pour qui un voyage de mille milles s'entreprenait aussi facilement qu'une visite à un voisin, cette folie la gagna aussitôt entièrement. Pendant qu'une part d'elle-même faisait ce qu'il y avait à faire: courir en ville retenir le billet d'autobus (l'argent qu'elle reçut quelques heures plus tard eût suffi à un billet d'avion, mais elle s'en tint à sa première idée), revenir à la maison, empiler ses effets dans une petite valise, pendant ce temps son esprit voguait déjà à l'aventure.

ÉVELINE

Merveilleusement, elle ignora qu'elle avait soixante-treize ans, que son cœur demandait des ménagements. Toute prête à partir, elle s'assit pour nous écrire à chacun une lettre hâtive où elle nous annonçait comme une enfant son escapade vers la Californie. De toute façon, elle n'avait rien à craindre : quand nous recevrions la nouvelle, il serait trop tard pour la retenir.

Le thermomètre, ce jour-là, marquait trente degrés au-dessous de zéro. Eveline n'avait donc pris que des vêtements très lourds. Enveloppée d'un long manteau à col de fourrure, les pieds chaussés de bottes fourrées, un grand foulard autour du cou, les mains enfouies dans d'épais gants de laine, elle s'élança vers la Californie comme si c'était au pôle qu'elle se rendait.

Assise au fond de l'autobus, elle mit sur ses genoux le petit sac de provisions qu'elle avait apporté au cas où l'obligation de manger aux relais de la route risquerait de la retarder.

SITÔT la ville quittée, l'autobus bondé de gens parut lancé à travers l'hiver comme dans un immense pays gelé, qui criait sa solitude en longs coups de vent. Les phares éclairaient faiblement un morceau de la grand-route entre des banquises découpées comme au couteau par le chasse-neige. Tout le reste était nuit. Parfois, quand les falaises bordant la route s'abaissaient un peu, le vent et la neige se jetaient sur les vitres de l'autobus et les secouaient avec rage. De toutes parts, on entendait hurler la nuit. Puis renaissait la plainte du moteur, comme s'il eût remonté d'un gouffre, avec peine et courage. A l'intérieur, la chaufferette répandait une chaleur douce. A peine voyait-on sur la vitre quelques fleurs de givre. Eveline avait entrouvert son manteau. Elle regardait courir l'obscurité, et cette simple occupation, déjà, comment pouvait-elle lui sembler si agréable?

Ainsi, avec un élan de l'âme, elle s'aperçut qu'elle était encore capable de voyager. Le seul fait d'être en route mettait en branle ses pensées, les dégourdissait. Le front contre la vitre, fouillant du regard le noir de la nuit, un noir comme habité de blancheur, elle découvrit qu'elle éprouvait des sensations nouvelles et mystérieuses, et qu'en cela il y avait une sorte de joie. Et n'était-ce pas singulier que la joie pût venir d'une source aussi impénétrable? Certes, elle le savait depuis longtemps, la joie est étrange, pleine de mystère. Elle connaissait cela aussi bien que le chagrin. Et pourtant, une fois encore elle s'en étonna et en fut ravie. Bien sûr, ce qu'elle éprouvait n'était pas l'enivrement de la jeunesse. Elle se la rappelait assez, cette impétuosité de ses jeunes années, pour savoir que ce qu'elle ressentait n'était plus cela. Un moment même elle le regretta, déplorant que son cœur n'ait plus assez de courage pour affronter des joies trop aiguës. Mais tout de suite elle éloigna ce sentiment comme une ingratitude. N'était-il pas déjà merveilleux qu'à son âge elle sache encore trouver en elle de quoi se réjouir de la route, des hasards, de l'inconnu du voyage? Et ainsi, découvrant en elle ce consentement, elle en fut réconfortée, comblée comme si ce cadeau lui venait de quelqu'un d'autre qu'elle-même.

Puis elle songea à se mettre dans un état d'esprit affligé. Après tout, c'était peut-être un très grand malade, un mourant qu'elle s'en allait revoir ainsi à l'autre bout du monde. Et elle chercha à se représenter Majorique vieux, attristé peut-être... Elle calcula son âge d'après le sien : j'ai soixante-treize ans, donc Majorique en a soixante-seize, mais elle fut devant un vide, une idée abstraite, sans chair ni os. Car de ce frère qu'elle n'avait pas revu depuis près de trente ans, la seule image qui lui était restée était celle d'un homme si plein de gaieté et d'optimisme. Certes, par ses lettres, parfois, elle avait cru sentir qu'il vieillissait... mais pas beaucoup... le ton demeurait presque toujours enjoué, taquin... et c'était presque toujours d'avenir qu'il parlait. Alors une autre image de son frère surgit dans son esprit, et c'était celle qui surgissait toujours quand elle prononçait intérieurement son nom : Majorique, son teint d'abricot mûri par le soleil, ses yeux noirs, où passait comme un vol d'abeilles, sa fine petite moustache noire au-dessus d'une lèvre très rouge et charnue comme un fruit prêt à écla-ter... Tel il était à dix-huit ans lorsque, déguisé en photographe ambulant et affublé du nom de Jérémie Latulipe, il était venu les «poser en portrait». Y avait-il jamais eu au monde plus gentil farceur, plus habile comédien? Et ce télégramme pouvait bien n'être qu'une autre de ses ruses tendres. N'avait-il pas toujours promis qu'il la ferait venir un jour en Californie?

Et comme le souvenir de Majorique l'égayait beaucoup, Eveline se mit à rire un peu des épaules, du bout des lèvres.

A côté d'elle se trouvait une femme assez corpulente, au visage ouvert et agréable. Quand elle vit Eveline sourire à ses pensées, sans doute eut-elle de la curiosité et même un élan d'amitié pour elle, car les gens qui sourient ou se parlent tout seuls nous paraissent toujours avoir des pensées que nous aimerions partager. Par bonheur, c'était aussi une Canadienne parlant français. Elle se présenta donc:

— Madame Leduc.

Eveline se nomma aussi, et elles lièrent conversation.

— Je pensais à mon frère Majorique, dit Eveline, aux tours qu'il nous jouait dans sa jeunesse, et comme il nous attrapait tant qu'il voulait à ses pièges amusants.

ÉVELINE

Aussitôt, elle s'aperçut qu'elle avait présenté gaiement une nouvelle peut-être triste, au fond, et elle se hâta de corriger cette impression. De son sac elle sortit le curieux télégramme. Un instant elle hésita à le montrer à cette étrangère. Mais en était-ce vraiment une? Pour Eveline, dans la vie, il y avait eu si peu d'étrangers, car spontanément elle était amie des êtres. Et une compagne de route, la nuit, en pleine campagne mystérieuse, qui écoute, qui parle, qui comprend, est-ce que ce pouvait être une étrangère?

— Je me demande encore, dit-elle, ce que ces mots: *le grand départ* peuvent signifier. Qu'en pensez-vous? ajouta-t-elle en tendant le télégramme à sa voisine.

Cette Mme Leduc, à qui Eveline s'attacha tellement et qu'elle dépeignit par la suite si charmante, si sympathique, devait avoir un bon jugement et des sentiments délicats, car voici ce qu'elle dit après avoir entendu Eveline:

— Votre frère est de nature espiègle, n'est-ce pas? Alors il se peut bien qu'il ne vous cache rien de grave. Et d'ailleurs, même s'il était vraiment malade, est-ce que vous le soulageriez en vous plongeant dès maintenant dans l'inquiétude et le chagrin? Gardez donc toutes vos forces pour lui être utile quand vous arriverez auprès de lui. Et d'ici là, quel mal y a-t-il à vous laisser accompagner par vos souvenirs heureux?

Propos pleins de sagesse, qu'Eveline accueillit avec un sourire reconnaissant. Tout à fait mise en confiance, elle raconta alors toute cette histoire où, déguisé d'une barbe, d'un chapeau noir à large bord et de lunettes fumées, Majorique s'était présenté à la ferme de ses parents et les avait photographiés. Personne ne l'aurait reconnu sans le chien qui avait sauté tout à coup aux épaules du photographe et lui avait arraché barbe, chapeau et lunettes. Et toutes deux, réunies par cette histoire, rirent de bon cœur pendant que l'autobus filait dans la nuit glacée.

Des banquettes voisines, deux ou trois personnes avaient prêté l'oreille au récit d'Eveline, peut-être un peu distraitement au début, puis avec de plus en plus d'attention. Bientôt elles se penchèrent un peu hors de leur siège pour ne rien perdre de l'histoire. La physionomie, les gestes de cette petite vieille étaient si vivants que quelques-uns, qui ignoraient le français, furent peinés de ne pas comprendre ce qu'elle racontait et demandèrent à Mme Leduc de leur dire de quoi il s'agissait. Celle-ci traduisit donc une bonne partie de l'histoire, que les voisins transmirent à leur tour à ceux d'en avant et d'en arrière, si bien que l'espièglerie de Majorique circula bientôt parmi tous les voyageurs qui ne s'étaient pas endormis.

Et c'est ainsi, dans cet autobus roulant à toute vitesse au milieu de la plaine enneigée, que revécut en songe toute une famille du Manitoba d'antan, et que Majorique, qui avait aimé par-dessus tout l'amitié et eu dans le monde tant d'amis, s'en fit encore d'autres cette nuit-là, grâce au talent d'Eveline.

Par moments pourtant, au milieu de ses contes, elle se reprochait de tant parler et de se sentir plutôt gaie. Alors son entrain tombait, son âge s'accusait et elle semblait fatiguée. Mais aussitôt tout le monde autour d'elle cherchait à la rassurer.

— Moi, dit un passager assis derrière elle, je parierais que votre frère Majorique est en excellente santé.

Les autres appuyèrent cette opinion. Eux aussi, au fond, ne pouvaient imaginer Majorique que jeune et plein d'entrain.

Que c'est singulier, le voyage, pensa Eveline. Les souvenirs des uns appellent les souvenirs des autres. Un vieux monsieur du Wyoming, dont la famille venait de Norvège, retrouva subitement une image qu'il avait cru perdue, et il entretint ses voisins de son vieux père, Eric Stroksson... Puis d'autres gens très lointains vinrent à l'appel de leurs noms prononcés par les voyageurs. Mme Leduc, devenue doucement songeuse, dit:

— Vous n'avez pas idée comme tout cela a remué de souvenirs en moi. Voici que je retrouve mon enfance, passée dans une région éloignée du Québec. Nous étions quinze enfants...

On racontait... on racontait partout, d'une voix douce, un peu nostalgique, que recouvrait de temps en temps le grondement du moteur quand il fallait gravir une montée ou que la neige sous les roues devenait plus molle ou plus glissante.

De sorte que firent le voyage cette nuit-là beaucoup d'absents.

ON ARRIVA à la frontière. Un petit poste illuminé brilla sur la droite. Un officier d'immigration monta à bord. Eveline s'énerva quelque peu. C'était la première fois qu'elle traversait une frontière, et l'aventure lui paraissait grave. Peut-être y aurait-il des difficultés. Jamais encore elle n'avait mis le pied dans un autre pays que le sien, pas même aux Etats-Unis pourtant si proches. Elle fit donc un effort pour bien se pénétrer de ce moment important. A l'officier d'immigration qui lui demandait pourquoi elle se rendait en Californie, elle répondit que son frère malade la faisait venir de toute urgence.

— All right.

Il n'avait jeté qu'un bref coup d'œil à son extrait de baptême. Etait-ce donc si simple de passer d'un pays à l'autre? Dans certains romans qu'elle avait lus, cela s'accompagnait de tracasseries sans fin. Aussi restait-elle surexcitée. De plus, elle avait été dire à cet homme que Majorique était gravement malade, et c'était comme si elle eût rendu la chose vraie, irrémédiable. Elle se tracassa fort durant ces quelques minutes d'arrêt, trouvant qu'on prenait bien du temps à se remettre en route. Et l'idée lui vint qu'elle pourrait arriver là-bas trop tard pour revoir Majorique.

L'autobus poursuivit son trajet sur la grand-route des Etats-Unis. Rien n'était changé. C'était exactement comme au Canada : la même route blanche de neige aux bords découpés par le tranchant du chasse-neige. Elle en fut un peu étonnée, un peu déçue même, sans savoir au juste pourquoi, peut-être parce qu'elle avait imaginé qu'un changement radical accompagnerait ce passage d'un pays à l'autre. Mais non, l'hiver et la neige s'étendaient pareillement sur les deux pays.

La plupart des voyageurs sommeillaient. Sauf une veilleuse, toutes les lumières avaient été éteintes. Mais Eveline n'avait nulle envie de dormir. Il lui semblait même qu'elle ne pourrait dormir avant fort longtemps, tant s'agitaient en elle les souvenirs, les émotions, la curiosité aussi. Par exemple, elle aurait bien aimé savoir dans quel Etat on se trouvait en ce moment. N'ayant pas eu le temps d'étudier la carte avant le départ, elle ignorait l'itinéraire que suivait l'autobus. Mais elle se retint de poser des questions, de crainte de déranger ces pauvres gens qui se disposaient au sommeil. Cependant, au bout d'un moment, elle jeta un regard à sa voisine, et voyant ses yeux luire doucement dans l'obscurité, elle lui demanda en chuchotant quel Etat on traversait.

— Le North Dakota, répondit Mme Leduc.

— Ah, le North Dakota!

Le mot déclencha tout un train de souvenirs dans l'esprit d'Eveline. Son mari dans sa jeunesse, avant qu'ils se soient rencontrés, avait longuement parcouru le Minnesota, le Montana, le Dakota. Il lui en avait souvent parlé; tous ces noms lui étaient devenus familiers, attachés pour elle à la mémoire d'Edouard. Et elle fut soudainement plongée dans une grande tristesse à la pensée de tous ceux qu'elle avait perdus en ce monde: ses parents, son mari, quelques-uns de ses enfants. Un instant, sa solitude lui étreignit durement le cœur. C'est vrai: de ses sœurs, de ses frères, combien vivaient encore? Et qui, oui, qui serait donc le prochain à partir? Majorique? Peut-être. Et puis ce serait elle-même sans doute...

La voyant s'agiter, Mme Leduc lui dit de tâcher de dormir un peu, et elle voulut glisser sous sa tête un petit coussin emporté pour le voyage.

— Oh non, protesta Eveline, gardez-le pour vous.

Mais Mme Leduc insista. Craignant de lui faire de la peine en refusant, Eveline finit par accepter et se laissa aller confortablement.

— Le voyage est long. Il ne faut pas que vous arriviez à bout de forces. Dormez maintenant.

Par gratitude envers sa compagne, Eveline fit mine de s'endormir. Et voici, comme elle reposait là, les yeux clos, la tête légèrement ballottée, que lui revint un souvenir. Un jour — elle était en ce temps-là une jeune femme avec une maisonnée sur les bras, plusieurs enfants tout jeunes et peu de temps pour ruminer ses regrets — un jour Majorique, en passant, était arrêté la saluer. Comment avait-il su qu'elle désirait autre chose que tout ce qu'elle possédait, autre chose d'imprécis et pourtant de si exigeant à sa manière? Il avait pris entre ses mains le visage de sa sœur, scrutant les yeux: «De quoi t'ennuies-tu, Eveline?» Et elle avait répondu: «Je ne le sais même pas, voilà qui est bien fou, n'est-ce pas, Majorique?» —

«Peut-être de ce que tu n'as pas vu, hein, sœu-
rette?» Et au même instant elle avait saisi à
quel point c'était vrai. «Oui, de ce que je n'ai
pas vu et ne verrai sans doute jamais. Toi, tu
vas partir bientôt, tandis que moi...» Alors,
serrant un peu plus fort son visage entre ses
mains, Majorique lui avait promis: «Un jour,
je te ferai venir, loin, là où je serai, peut-être en
Californie.»

Et voyez comme tournent les choses. Il y a
bien plus de merveilles au-devant de nous
qu'on le croit. «Car voyez, dit Eveline à voix
haute, voyez, je m'en vais effectivement rejoindre Majorique au pays du soleil.»

— Vous ne dormez pas encore? lui reprocha
Mme Leduc.

Mais Eveline ne pouvait se retenir de lui
conter le joli souvenir qu'elle venait de revivre:

— Oh écoutez, ma bonne Mme Leduc, je
me rappelle maintenant: il y a trente ans,
Majorique m'avait prédit qu'un jour je serais
sur la route de la Californie.

Quelques autres voyageurs qui s'étaient
réveillés eurent leur part de cet aimable souvenir revenu subitement à la petite vieille dame,
et ils en aimèrent Majorique encore davantage.

Le fermier du Wyoming, assis de l'autre côté de l'allée, se mit à parler doucement, à voix basse:

— Moi, je parierais que votre frère s'est souvenu lui aussi de cette promesse, et qu'il vous fait venir simplement pour vous montrer la Californie, qui est bien le paradis en ce monde. Ce geste lui ressemble. Pensez, s'il vous avait simplement envoyé l'argent en disant: «Viens te promener», vous auriez peut-être hésité à accepter...

— Rien que pour une promenade, oui, sans doute, conclut Eveline, j'aurais eu des scrupules à prendre son argent. Car je pense qu'il est à l'aise, mais riche, non, je ne le crois pas, et de plus il a une nombreuse famille.

— Vous voyez bien, reprit quelqu'un autour d'elle. Son télégramme, c'est pour vous attirer là-bas où vous verrez tant de choses magnifiques.

Rassurée, calmée, protégée par tous ces étrangers, Eveline s'endormit enfin.

Et pendant qu'elle se reposait, à plusieurs reprises Mme Leduc arrangea le coussin sous la tête de sa compagne, et un peu plus tard, quand il fit plus frais, elle étendit sur elle sa propre couverture. Eveline dormait la bouche entrouverte, elle sifflait un peu, péniblement, et quand l'aube vint, grise et triste, ce visage abandonné parut à tous bien plus vieux qu'ils ne l'avaient cru. De nombreuses rides y marquaient le chagrin, l'âge, les déceptions. Chacun évita de faire du bruit pour ne pas l'éveiller.

Quel âge peut-elle bien avoir, se demandait Mme Leduc. «A l'entendre causer cette nuit, je la pensais plus jeune, confia-t-elle au fermier du Wyoming. C'est bien imprudent de sa part de se mettre seule en route, ne trouvez-vous pas?»

— Oui, sans doute. Mais Dieu veillera sur elle. Du moins je l'espère...

— Ce serait pour elle un tel chagrin si...

— ... si elle ne revoyait pas son frère Majorique, oui, dit pensivement le Norvégien.

— Elle en a encore pour cinq jours avant d'arriver en Californie. Pensez, quelle fatigue pour elle.

Eveline ayant bougé dans son sommeil, ils changèrent vivement de conversation. Mais la tête endormie avait roulé de côté, et Eveline, ainsi livrée, paraissait en proie à une sorte de détresse. Ses lèvres remuaient de temps à autre, et la petite main enfouie au creux de la jupe tentait parfois de se lever comme pour repousser quelque chose.

ÉVELINE

— Je me demande si on ne devrait pas l'éveiller, fit Mme Leduc. Elle a l'air de faire un mauvais rêve.

Au même instant, le chauffeur annonça dans son micro dix minutes d'arrêt pour le déjeuner. Réveillée brusquement, Eveline promena autour d'elle un visage effaré. Avec autant de stupéfaction que si elle eût été transportée là par magie, elle regarda ses voisins puis, se tournant vers la vitre, le village enneigé où ils s'étaient arrêtés.

— Venez, dit Mme Leduc. Nous descendons tous manger quelque chose. Venez, une bonne tasse de café va vous faire du bien.

Alors Eveline comprit qu'elle était en voyage, qu'elle avait dormi et peut-être manqué ainsi quelque chose d'intéressant, de bon à voir.

— Où sommes-nous? demanda-t-elle.

— Oh, toujours dans le North Dakota. C'est un grand Etat, dit l'homme du Wyoming.

Lui et Mme Leduc aidèrent Eveline à descendre de l'autobus, chacun la tenant par un bras. Elle sourit de tant de sollicitude. Mon Dieu, la pensaient-ils à ce point fragile et usée? Heureusement, l'air frais lui redonnait un peu de vitalité. Une fois à l'intérieur, tous se juchèrent sur de hauts tabourets pivotants alignés devant un comptoir. Mme Leduc s'occupa d'Eveline, commandant pour elle du café et des beignets au sucre. Une grande glace reflétait le visage des voyageuses. Quand Eveline aperçut le sien, chiffonné, tout défait, elle eut un petit cri de surprise.

— Je n'aurais pas dû dormir. Rien ne brise autant que de sommeiller au cours d'un voyage.

Elle n'en revenait pas de se voir ainsi, le visage fripé, les paupières lourdes. Depuis des années, il est vrai, elle ne se reconnaissait plus dans son miroir. Chaque fois, c'était une espèce de choc. Quelqu'un de naïf, de jeune encore en elle examinait le vieux visage avec étonnement, comme si c'était celui d'une inconnue. Elle se mit à manger à petites bouchées. Elle avait peine encore à se remettre, dans cet endroit bruyant éclairé par des néons.

— Ah, c'est cela, oui, c'est cette lumière trop dure qui me donne une si mauvaise couleur, dit-elle tout à coup, soulagée.

— Oui, c'est cela, se hâta d'acquiescer Mme Leduc.

Une musique criarde, absurde, les enveloppait, pendant que la clarté pâle de ce matin d'hiver, venue des grandes vitres derrière lesquelles l'autobus paraissait pauvre et comme démuni, luttait péniblement contre l'éclairage de l'intérieur. Eveline se sentit véritablement

ÉVELINE

perdue, seule au bout du monde, parmi des
étrangers. Et ce n'était encore que le commencement. Que serait-ce dans quelques jours,
quand elle serait loin de chez elle irrémédia-
blement?... Alors, d'un regard insistant, elle
tâcha de repérer parmi les consommateurs les
gens de l'autobus, son groupe à elle, et, comme
elle en reconnaissait quelques-uns qui lui sou-
riaient, elle se sentit réconfortée. Mais non, elle
n'était pas du tout seule. Elle avait de bons
amis parmi ces gens. De plus, le café très fort
commençait à la remonter. Déjà ses yeux reve-
nus à la vie s'attachaient à tout avec bien plus
de curiosité que de crainte. Et quand elle reprit
sa place dans l'autobus, ce fut mieux encore.
N'était-ce pas singulier: dans l'autobus, elle se
retrouvait un peu comme dans son élément,
dans ses affaires à elle. Le moteur gronda, on
repartit, et Eveline eut un soupir presque heureux. Un paysage qui file derrière une vitre,
rien que cela, c'est déjà si émouvant. Et voici
que redevenue toute gaie, tout alerte, elle
retrouva, loin derrière elle, dans les années
vécues il y avait si longtemps, d'autres souvenirs pleins de joie... au sujet de Majorique.

— Un autre tour qu'il nous a joué, c'est le
jour où...

ÉVELINE

Et cette journée se passa en anecdotes, en échanges de souvenirs, en contes que chacun retrouvait miraculeusement dans sa mémoire et qui lièrent encore plus étroitement que la veille ces gens que le hasard avait réunis. Quelques voyageurs arrivés à leur destination ne manquèrent pas, avant de descendre, de venir saluer Eveline et lui souhaiter un bon voyage jusqu'au bout. D'autres l'invitèrent à s'arrêter chez eux au retour. Quelles braves gens, ces Américains, se dit-elle, comme ils ont le cœur sur la main, on dirait des enfants, des enfants généreux qui voudraient partager tout ce qu'ils ont. Elle en eut les larmes aux yeux. Le plus beau du voyage, de tous les voyages peut-être, pensa-t-elle, ce ne sont pas les sites, les paysages, si nouveaux soient-ils, mais bien l'éternelle ressemblance des hommes, sous tous les cieux, avec leur bonté, leur douceur si touchante. De plus en plus elle avait le sentiment que les humains, que presque tous les humains, au fond, sont nos amis, pourvu qu'on leur en laisse la chance, qu'on se remette entre leurs mains et qu'on leur laisse voir le moindre signe d'amitié.

Vers midi, le chauffeur, Bud Jones, céda son siège à son remplaçant, en lui recommandant particulièrement la petite vieille dame habillée

ÉVELINE

comme pour aller au pôle. Il la lui indiqua discrètement dans le rétroviseur : «Elle raconte de drôles d'histoires, elle est tout animée, elle me fait penser à ma grand-mère.» Il regrettait de n'avoir pu écouter tout ce qu'elle racontait, étant assis trop loin d'elle. Mais il avait compris du moins qu'elle allait jusqu'en Californie, auprès d'un frère qui avait été diablement espiègle dans sa jeunesse, et on ne savait pas, personne n'avait réussi à savoir s'il la faisait venir par jeu, pour le bonheur ou parce qu'il était à la veille de quitter ce monde. «Tâche d'apprendre la fin de l'histoire, dit Bud Jones à son remplaçant. Après-demain, au relais, tu me raconteras.»

Ainsi donc le nouveau chauffeur, Freddy Macpherson, regarda souvent par le rétroviseur la petite vieille habillée comme pour aller au pôle. C'était très étrange ce qui se passait autour d'elle : à l'entendre, à la voir, elle qui était certainement très vieille, tous paraissaient rajeunis, égayés, et non seulement elle les rendait ainsi en restituant aux gens leurs propres souvenirs, mais c'était aussi elle, apparemment, qui leur faisait découvrir la beauté, l'intensité du présent.

Lorsqu'on entra dans le Montana, elle s'écria, dressée tout à coup sur le bord de son siège :

— Ah, il faut que je regarde bien! Le Montana, voilà un Etat que j'ai toujours désiré connaître. On y fait l'élevage des bêtes à cornes, n'est-ce pas?

Alors justement, un rancher du Montana assis derrière elle entreprit de la renseigner, tant son désir d'apprendre illuminait sa physionomie. Et c'est ainsi que tous, y compris des gens comme Freddy Macpherson qui avaient fait cent fois ce voyage, purent apprendre de la bouche même d'un expert tout ce qu'il fallait savoir sur cet Etat du Montana, avec statistiques à l'appui. Irvin, le rancher, parla d'abondance. Le sujet lui tenait à cœur. Sous son grand chapeau du pays, avec ses fortes moustaches un peu sauvages, il eut l'air tout heureux d'intéresser les gens à cette vie qui était la sienne depuis toujours. Il la peignit comme la plus belle vie du monde, et une espèce de nostalgie vint à tous pour ce qu'il décrivait: le ciel plein d'étoiles, les hauts plateaux où l'air est vif et fouette les sangs, les chevauchées nocturnes où il semble qu'on domine le paysage et qu'on entre à jamais dans la sérénité des choses...

Il y avait de moins en moins de neige sur les champs. Bientôt la terre brune parut à nu au sommet des vallons. On entrait dans la région des ranchs justement. Et Irvin indiqua au loin une immense tache qui bougeait un peu à la surface du sol.

— Les troupeaux, dit-il.

— Et on les laisse dehors tout l'hiver? demanda Eveline.

— Bien sûr, comment pourrait-on garder pareils troupeaux à l'étable, mille, trois mille têtes parfois.

— Et ils trouvent de quoi manger?

— Certainement: la sauge, des herbes un peu piquantes et dures, mais très nourrissantes.

En plein hiver, des bêtes qui trouvent leur subsistance dehors: Eveline n'en revenait pas.

Le rancher avait été tellement séduit par l'intérêt d'Eveline qu'au moment de quitter l'autobus il l'invita à venir un jour chez lui. Il lui ferait visiter son ranch de quatre mille têtes. Eveline hocha la tête, sourit comme pour s'excuser de son incrédulité, mais accepta néanmoins la carte qu'il lui tendit, où étaient indiqués le nom, l'adresse et tout ce qu'il fallait pour renouer connaissance un jour.

*U*N PEU avant la fin du jour, on attaqua une région beaucoup plus élevée. Hautes
et belles, et remplies pour Eveline de mysté-
rieux échos, des collines sans arbres rejoi-
gnaient le ciel. Ce pays était presque entièrement désert. Pendant des heures, on ne vit
aucune habitation. De temps à autre seulement, au loin, ces grandes taches mouvantes
qu'on reconnaissait à présent pour des troupeaux. L'horizon où se mourait le soleil avait
pris une couleur foncée, tragique, et toujours,
comme des épaules de géants, les collines soli-
taires se pressaient contre le ciel. Le cœur
d'Eveline s'exaltait de cette sauvagerie. C'était
son amour des espaces infinis, de ces grands
espaces qu'on dirait inutiles, qui revivait ici.
Et en ce moment elle ne se sentait nullement à
la fin de son existence. Ah non, il y avait vraiment trop de choses à voir en ce monde, comment pouvait-on jamais s'y sentir vieux et
plein de lassitude?

Majorique étant revenu sur le tapis, quelqu'un raconta avoir eu un jeune frère en tous
points semblable, très farceur et épris d'aventure. D'autres se reconnaissaient eux-mêmes
en Majorique. Mais avait-il eu une vie heureuse? Parfois, les types de ce genre ne font rien
de sérieux dans la vie, et ils finissent par
échouer lamentablement; leur grande quête
d'aventures se termine dans une petite existence bourgeoise, des plus prudente.

— C'est ce qui vous trompe, dit Eveline avec
un fin sourire. Majorique a très bien réussi
dans tout ce qui l'a intéressé, et presque tout l'a
intéressé.

— Comment se fait-il qu'il soit parti un
jour pour la Californie?

— Ah, c'est toute une histoire, répondit Eveline, une histoire cocasse et un peu triste malgré tout. Et pourtant, aujourd'hui, elle me
paraît surtout charmante. Majorique, si vivant,
si endiablé, avait épousé une invalide, oui, la
pauvre Thérésina Veilleux, qui souffrait d'un
asthme chronique. C'est pour la guérir qu'il a
entrepris de se rendre en Californie. Par petites
étapes, vous comprenez. Et il y est enfin arrivé,
en Californie, mais Thérésina était déjà trop
usée par sa maladie. Elle est morte peu après.
Resté veuf, mon frère a tourné toute son atten-

tion vers le beau verger qu'il avait acheté. Pendant quelques années il m'a écrit assez régulièrement, puis beaucoup moins. Mais ses lettres, maintenant que j'y songe, ne me disaient presque rien sur sa vie. A-t-il été plutôt riche ou plutôt pauvre, a-t-il eu de grands chagrins, des déceptions, au fond je n'en sais rien. Majorique ne me parlait jamais des circonstances matérielles de sa vie, de toutes ces choses qui pour certains sont les plus importantes. Non, voyez-vous, il était question de tout autre chose dans ses lettres, par exemple du désert de la Californie qu'il avait été voir au temps où les cactus sont en fleurs, et d'autres choses semblables. Est-ce parce qu'il leur trouvait une grande importance, ou parce qu'il voulait me raconter seulement ses moments de bonheur, je ne l'ai jamais su. Et c'est pourquoi je ne sais pas du tout, maintenant, ce que je vais trouver au bout de ce voyage.

Alors elle parut si inquiète que tous tâchèrent de la rassurer. Mais ils se demandaient, oui, eux aussi ils se demandaient ce que la voyageuse allait trouver à la fin de ses songes.

Les collines ne furent plus bientôt que des silhouettes très noires, troublantes, dessinées sur une nuit à peine moins profonde. Et les gens, dans cet autobus aux lumières éteintes, s'étaient mis à songer à leurs vies. Un long silence s'établit, si étrange, si complet que les bruits de la route parurent tout à coup plus forts, plus distincts, comme si eux seuls en ce moment avaient du sens. Ces collines de nuit rappelèrent à Eveline le visage de sa vieille mère. «Mon Dieu, murmura-t-elle, si elle vivait encore elle aurait cent cinq ans, est-ce possible?» A cause des collines, elle se souvint de l'attachement de sa mère pour le petit village montagneux du Québec d'où elle était partie un jour pour le Manitoba. Et ce souvenir devint si présent en elle, la pressa tant de lui donner vie, qu'Eveline éleva un peu la voix:

— Ma mère, pas un seul instant de sa vie dans les plaines, je pense, n'a oublié le contour, le visage perdu de ses collines. Et je me demande si de tous les paysages qu'elle avait vus, ce n'est pas celui-là seul qui lui est revenu à la veille de sa mort, comme son image à elle de la vérité du monde...

Ce conte mit aussitôt ses compagnons de voyage dans l'état d'esprit qu'il faut pour accueillir en soi les âmes disparues. De nouveau le fermier du Wyoming parla de son vieux père. Ah, que les récits avaient le don de rassembler les gens, se dit Eveline. Mille fois dans sa vie elle en avait fait l'expérience. Dès qu'on remue un souvenir de sa vie, par là même on entraîne les autres à en faire autant. Et peu à peu le cercle rassemblé autour du conteur finit par être immense, immense.

— Mon père, commença le fermier du Wyoming, venait des environs de Trondheim. Ses vieux avaient là un petit commerce de pêcheries, et leurs ancêtres sans doute étaient des gens de mer...

Et il sentait cela ce soir, lui leur descendant, comme un goût de sel sur sa langue, comme un ennui de l'océan. Eveline écoutait attentivement, la tête un peu tournée vers le conteur assis de l'autre côté de l'allée. A plusieurs reprises elle lui sourit, comme quand il donna de beaux détails sur des montagnes qu'il n'avait jamais vues, dont il tenait la vision de son vieux père et qu'il décrivit cependant comme si ses propres yeux s'y étaient posés, de hautes montagnes finement découpées au bord de la mer du Nord.

Autant Eveline aimait raconter, autant elle aimait écouter. Cette nuit-là elle se sentit délicieusement dépaysée, et assez jeune encore pour goûter la richesse qui accompagne le dépaysement. Pendant que Stroksson parlait de la Norvège, il lui sembla qu'elle se promenait elle-même parmi ces paysages, très loin de tout ce qu'elle connaissait et cependant si proches en cet instant. A l'arrière de l'autobus se trouvait aussi un Français, qui jusque-là avait paru distant et ne s'était mêlé à aucune conversation. Mais voici qu'il éprouva à son tour le désir de charmer Eveline ou tout au moins de mériter son attention. Il semblait que tous eussent ce désir en la voyant, avec ses yeux si jeunes dans son visage si vieux. Que leur rappelait-elle donc? Etienne Denis raconta que tout jeune, il était venu de sa province terminer ses études à Paris, où il était resté ensuite. Il décrivit les terrasses de cafés remplies de gens jusqu'au milieu des nuits douces, les allées du Luxembourg, les promenades le long des quais de la Seine... Tout allait bien, chacun écoutait avec le plus grand plaisir. Pourquoi osa-t-il déclarer alors que nulle ville au monde ne pouvait se comparer à Paris? Aussitôt, un autre voyageur silencieux jusque-là protesta: selon lui, la plus belle ville du monde était Vienne. Et voici qu'on cessa de voir les villes en question et d'entendre leur doux murmure. Il n'y eut plus que des voix impérieuses, tranchantes. «Non, c'est New York, la ville la plus intéressante.» «Non, San Francisco...» «Non, Londres...» Reprenant la parole, Etienne Denis soutint que les Américains ne connaissaient rien à la cuisine ni à l'art de vivre. Le monsieur du Wyoming, si aimable jusque-là, répliqua que les Français étaient insupportables, arrogants... D'un sourire peiné, Eveline tâcha de faire comprendre au Français qu'il valait mieux abandonner cette discussion. Ah, elle aurait pu lui dire à quel moment exactement il avait perdu son petit auditoire : lorsqu'il avait affirmé. Cela ne donnait rien d'affirmer, ce qui comptait c'était de faire voir, de faire aimer...

MADAME Leduc lui demanda:

— Est-ce que vous n'allez pas descendre dormir cette nuit à l'hôtel? Ce serait mieux pour vous.

Eveline hocha la tête.

— Je n'ose pas, dit-elle. Au fond, je m'aperçois que j'aurais dû prendre l'avion. Mais ç'aurait été la première fois de ma vie, et je n'en ai pas eu le courage. Donc, il ne faut pas perdre de temps, pas même une seule nuit. Quelque chose me dit que je dois me hâter d'arriver chez mon frère.

Alors Mme Leduc, qui avait pensé interrompre elle-même son voyage et se reposer cette nuit-là à l'hôtel, décida de rester plutôt auprès d'Eveline. Mais elle la gronda gentiment:

— Ce n'est pas sage ce que vous faites. Vous allez arriver fourbue.

— Oh, vous savez, répondit Eveline, je suis solide malgré tout, et puis le voyage me soutient, je vous assure.

Elle finit par s'endormir. Mme Leduc se tourna alors vers des gens qui continuaient à parler derrière elle et leur fit un petit signe en indiquant sa compagne qui sommeillait. Aussitôt tous baissèrent la voix et ne se parlèrent plus qu'en chuchotant.

Eveline rêva. Le Ciel lui avait accordé une deuxième vie, elle pouvait tout reprendre à partir du début. Mais elle avait beau chercher un chemin neuf, ses pas la ramenaient toujours dans le sentier tracé par sa première existence. Elle passa par les mêmes douleurs et par les mêmes joies. Peut-être n'y a-t-il rien de plus difficile, même avec beaucoup de talent, que de s'imaginer dans une autre vie que la sienne.

A l'aube, elle eut un chagrin: pendant la nuit, le fermier du Wyoming était descendu. La voyant profondément endormie, il n'avait pas voulu l'éveiller pour lui faire ses adieux. Mais il en avait chargé Mme Leduc, qui répéta textuellement son message: si au retour Eveline passait par le même chemin, de s'arrêter à Butte, et, si possible, de l'avertir d'avance, pour que lui et sa femme viennent la chercher; ils lui feraient visiter le Wyoming qui en valait certainement la peine; il offrait ses amitiés à Majorique. Ces paroles gentilles étaient accompagnées d'une boîte de bonbons pour la voyageuse du Manitoba.

Eveline en eut les larmes aux yeux, si bien que tous s'ingénièrent à plus de bonté envers elle, croyant qu'elle pleurait de solitude et de regret. Mais leurs soins ne firent qu'augmenter son émoi, car celui-ci lui était venu de voir à quel point la vie est incomparablement douce et comme l'on ne se doute pas assez, jamais assez, de l'extraordinaire bonté du cœur humain.

Cet accès d'émotion passé, Eveline tâcha de se faire pardonner en se montrant gaie de nouveau. Mais ses joues restaient rouges, et elle semblait avoir quelque peine à respirer. Mme Leduc prit ses mains et s'aperçut qu'elle avait un peu de fièvre.

— Quelle imprudence aussi de n'être pas descendue hier soir pour vous reposer, dit-elle un peu fâchée.

Elle lui fit avaler deux comprimés.

— Mon Dieu, je vous assure que ce n'est rien, fit Eveline. Un peu de rhume, c'est tout.

A l'arrêt pour le lunch, le Français lui interdit de quitter sa place et de s'exposer à l'air froid du dehors. Pourtant le soleil paraissait si fort et si réjouissant. Oui, mais à cette altitude, dit-il, sur les hauts plateaux qui précèdent les Rocheuses, l'air était glacial. Il lui apporta lui-même des sandwiches et du café dans un gobelet en carton.

Cette journée se passa étrangement pour elle. Elle sommeilla par moments, çà et là, sans doute sous l'effet des comprimés, mais sans jamais perdre tout à fait conscience de ce qui l'entourait. Tout cependant, les voix, les paysages, venait à elle comme du fond d'un rêve. A voix basse, Mme Leduc et le Français parlèrent d'elle un moment:

— Je la trouve bien imprudente, fit Mme Leduc. S'il lui arrivait de tomber malade, pensez donc... Si je pouvais la décider, je lui offrirais de descendre demain avec moi et je la soignerais quelques jours avant de la laisser repartir pour la fin de son voyage.

— Oui, ce serait sage, dit le Français, mais elle ne voudra pas.

— Si au moins je pouvais l'accompagner jusqu'au bout... Je vais être bien inquiète de la quitter si elle ne va pas mieux.

— Je pourrai la surveiller moi-même presque jusqu'à la fin, puisque je descends à Los Angeles.

— Ah, c'est cela, dit Mme Leduc, et veillez bien sur elle.

A diverses reprises Eveline tenta d'ouvrir l'œil, de les rassurer: elle irait mieux dans quelques minutes, elle ne leur causerait aucun embêtement, qu'ils ne se fassent pas de souci. Mais en même temps, elle était bien dans ce demi-sommeil, tout était facile et doux. Un peu plus tard, elle entendit prononcer le nom de l'Idaho dans lequel on entrait. Oh, il ne fallait pas manquer de voir de quoi avait l'air l'Idaho. Elle parvint à ouvrir les yeux, entrevit un grand pan de ciel très bleu. Puis ils traversaient une forêt, et les arbres géants ressemblaient à d'immenses squelettes. Serait-ce la forêt pétrifiée, les fameuses gorges dont on lui avait parlé? Quand elle regarda de nouveau au dehors, l'autobus était arrêté; on entendait la rumeur d'une ville. Ensuite, des lumières criblèrent l'obscurité. Où était-elle vraiment? Elle pensa un moment qu'elle avait tout juste vingt ans, et qu'elle aurait tout donné pour suivre Majorique. «Où vas-tu cette fois?» — «Au village.» — «Tu iras certainement plus loin. Emmène-moi.» Il riait malicieusement: «Pas aujourd'hui. Une autre fois peut-être.» L'autre fois était-elle arrivée enfin?... Maintenant on parlait autour d'elle d'une secte étrange: les Mormons. Autrefois, chaque homme de cette secte avait plusieurs femmes et des légions d'enfants. Leur temple se trouvait ici, à Salt Lake City. Eveline s'obligea à jeter un regard par la vitre. Elle aperçut une immense plaine pâle sous un soleil brillant. Il n'y avait plus de neige du tout. La plaine devint brusquement une surface mouillée. Au loin un temple paraissait s'élever au milieu de ce champ liquide. Eveline pensa: C'est un mirage... Tout peut-être n'est que mirage; après tout, qu'y a-t-il dans l'existence de plus vrai qu'un mirage...

Plusieurs voyageurs, parvenus à leur destination, étaient descendus et avaient été remplacés par d'autres dont la voix lui était étrangère. Leur accent aussi était différent. Il commença à faire très chaud dans l'autobus. Eveline pensa que ce devait être l'effet de la fièvre. Mais comme ils traversaient une ville, elle aperçut des gens vêtus légèrement. Comment cela se pouvait-il? Ils étaient en costume d'été. Le soleil sur leur tête paraissait ardent. Elle crut même voir des chapeaux de paille, des robes blanches. Oh, quel rêve étrange faisait-elle donc là? Dans le brouhaha des voix, elle distingua celle d'un homme qui assurait que les Mormons ne prenaient plus plusieurs femmes;

lui-même était Mormon. Elle dormit encore un peu. Quand elle s'éveilla, elle se sentit mieux, un peu faible sans doute, mais son mal de gorge avait disparu.

Son regard rencontra celui de Mme Leduc, qui lui sourit.

— Cette fois, dit-elle, vous avez bien dormi et vous avez l'air un peu mieux. J'en suis contente, car je vais descendre bientôt et j'aurais eu de la peine de vous quitter sans vous avoir remerciée...

— Me remercier?

— Oui, pour vos histoires. Voyez-vous, elles ont ressuscité toute une partie de ma vie. Je ne savais même plus que j'avais encore des souvenirs de mon enfance au Québec. J'ai tout retrouvé grâce à vous.

Les yeux d'Eveline brillèrent de bonheur. Oui, elle comprenait très bien ce que disait Mme Leduc. Elle-même, ça lui était déjà arrivé de retrouver ainsi une partie de sa vie en entendant quelqu'un raconter la sienne. Quelle merveille que cela: quand on exprimait bien quelque chose de soi, ne serait-ce qu'une émotion, du même coup on exprimait une part de la vie d'autrui.

— Oh, je suis bien contente, dit-elle.

Son petit visage, qui disait tant de choses à la fois, se livra tout à coup au chagrin.

— Mais que vous allez me manquer! Sans vous je vais me sentir bien seule.

— Moi aussi je serai inquiète de vous, dit Mme Leduc. Je me demanderai comment vous allez trouver votre frère, si vous arriverez là-bas assez bien portante. Voulez-vous me promettre une chose? Tenez, voici mon adresse chez ma fille où je vais pour plusieurs mois. Dès que vous serez chez votre frère, voulez-vous m'envoyer une carte postale? Votre frère Majorique, vous comprenez, il me semble que je le connais, et j'aimerais bien avoir de ses nouvelles.

— Vous en aurez, promit Eveline. Dès mon arrivée, je vous envoie une carte.

Mme Leduc mit son manteau, rassembla ses effets, puis se rassit un moment près d'Eveline. Elle parut inquiète.

— Je ne sais pas moi-même ce que je vais trouver ici. Ma pauvre fille a l'intention de divorcer. Je voudrais essayer de la dissuader. J'ai de grands tracas, vous savez.

— Ah, fit Eveline, ma pauvre, ma chère amie...

Les deux femmes se regardèrent. Elles commençaient chacune à tendre la main vers l'autre, pour un adieu cérémonieux, et puis, tout à

coup, elles furent joue contre joue et s'embras-
sèrent avec affection. Des larmes vinrent aux
yeux d'Eveline. Mme Leduc la tint un moment
serrée entre ses bras: «Chère vous!» dit-elle,
puis elle s'élança au dehors. Parmi la foule,
Eveline la suivit des yeux. Elle leva la main,
espérant que Mme Leduc allait se tourner
encore une fois vers l'autobus. Et soudain, elle
la vit s'arrêter, rebrousser chemin, revenir à la
course vers l'autobus.

— J'ai oublié, cria-t-elle à travers la vitre. Je
n'ai pas votre adresse.

Baissant la vitre, Eveline la lui donna tandis
que l'autobus, déjà, les séparait...

*E*LLE regardait à présent défiler l'étrange pays de l'Utah au sol sablonneux, pauvre, parsemé de touffes de sauge. Ce n'était pas qu'elle s'ennuyât. Tout paysage, même monotone, la captivait. Mais elle ne se consolait pas d'avoir perdu Mme Leduc. Et elle ressassait cette confidence recueillie à la dernière minute.

Etienne Denis, le Français, avait pris la place de Mme Leduc à côté d'Eveline, et il veillait sur elle comme un bon fils. Muni de cartes de toutes espèces, il montra à Eveline l'endroit où elle devait descendre: Encinitas, un petit village entre Los Angeles et San Diego. Lui-même l'accompagnerait d'ailleurs presque jusqu'au bout et, en quittant l'autobus, il avertirait le chauffeur de veiller particulièrement sur elle.

Eveline eut un sourire amusé. Ce Français prenait son rôle de protecteur très au sérieux.

Et à bien y penser, y avait-il quelque chose de plus comique que d'être guidée en Amérique par un touriste français?

A l'arrêt il lui offrit de dîner avec lui. Dès qu'elle fut assise au milieu du restaurant, elle se rendit compte qu'elle était remarquée de tous, et même que beaucoup de gens se mettaient à sourire en la voyant. Alors, parmi tous ces gens en toilette claire, elle se vit, elle, dans son gros manteau d'hiver, ses bottes fourrées aux pieds, et partit à rire gaiement.

Ce soir-là, elle vit un paysage qui devait vivre à jamais dans son souvenir. C'était, s'épaulant directement au ciel, une chaîne de collines comme dans le Montana, mais celles-ci étaient affreusement tourmentées, elles avaient la forme de gibets, d'échafauds, des formes qui faisaient peur à l'âme. Mais c'était peut-être les arbres se découpant au sommet des collines qui créaient cette impression lugubre. Car ces arbres avaient les bras en croix. Oui, en haut des collines, les arbres étaient crucifiés. On lui apprit alors que c'étaient les arbres de Judée. S'il avait fait jour, elle aurait pu distinguer que tout le Nevada n'était que sol aride, végétation du désert et chaos de collines tristes. Mais à cause de ces pauvres arbres en croix, Eveline eut le cœur étreint de pressentiments, la vie lui parut un instant tragique, et toute mort d'une insondable cruauté.

Il y eut un bref arrêt à Las Vegas. Des milliers de lumières vives, des enseignes multicolores qui s'allumaient et s'éteignaient sans cesse, dessinant dans le ciel des images absurdes, d'énormes chapeaux de cow-boys, des chiens à la course... Eveline clignait des yeux, se croyant le jouet de quelque monstrueuse folie. Après les suppliciés du désert, que faisaient ici ces lumières dansantes? Etienne, qui la tenait par le bras, lui apprit que toutes ces enseignes étaient celles de casinos, de jeux de roulette, de tripots, et que le pauvre petit Nevada n'avait d'autre véritable industrie, d'autre richesse si l'on veut, que le divorce à Reno et les jeux de hasard à Las Vegas. Ah, était-ce possible qu'il y eût un pays si tragique, si malheureux! Mais aussitôt, elle se rappela tout ce qu'il y avait de touchant dans l'Amérique: le brave homme du Wyoming, Mme Leduc la Franco-Américaine, le petit chauffeur Bud Jones...

Il faisait chaud à Las Vegas. Dans son épais manteau, elle suait à grosses gouttes et en vint presque à regretter les bourrasques et le terrible froid auxquels elle avait échappé. Mais ce qui était derrière elle lui sembla aussi irréel que le

ÉVELINE

présent; tout lui parut flou, comme lorsqu'on
a la fièvre ou lorsqu'on a bu deux gorgées de
vin chaud.

Oui, la chaleur aussi avait dû être irréelle,
car au milieu de la nuit elle s'éveilla transie de
froid et dut remettre son gros manteau. A la
lueur de la lune, elle crut alors apercevoir des
cimes couvertes de glace; tout comme au
départ, l'autobus filait sur une route enneigée
dont les bords étaient nettement découpés. Ah,
mon Dieu, avait-elle donc rêvé tout le voyage,
et n'en était-elle toujours qu'à la première
nuit?

Eveillé à son tour par le froid, Etienne jeta
un coup d'œil au dehors.

— Ah, nous traversons les montagnes. La
Sierra Nevada. Pourvu qu'on ne soit pas blo-
qué par le froid. Cela arrive, quelquefois.

Eveline s'assit toute droite, voulant se pénétrer de cette extraordinaire aventure: les montagnes, les hautes montagnes de la Sierra
Nevada, enfin elle allait les voir!

Et tout à coup elle se souvint de ce que lui
répondait Majorique quand elle lui demandait: «Est-ce que tu ne t'ennuies pas parfois,
toi qui as l'air si gai, est-ce que tu ne t'ennuies
pas de ce qui est perdu?» — «Pas beaucoup de
ce qui est en arrière, disait-il. Peut-être un jour

ou l'autre cela m'arrivera-t-il. Pour le moment, je m'ennuie de hautes montagnes, très loin, que j'aimerais voir au moins une fois.» Il avait dit cela en riant, comme toujours, et Eveline s'était dit: c'est une blague. Mais elle comprenait maintenant. Elle aussi, durant sa vie, elle s'était ennuyée de bien des choses merveilleuses. Mais que Dieu avait donc de la bonté pour ceux qui s'étaient ennuyés! Curieux que dans son Sermon sur la Montagne il n'ait pas dit: «Bienheureux ceux qui aiment ma création, car ils la verront». Elle sentit son cœur prêt à défaillir d'émotion. Les hautes montagnes, la Sierra Nevada! Ah, qu'au moins Majorique vive assez longtemps pour qu'elle aie le temps de le remercier pour tout cela: le voyage, les amitiés, la Sierra.

— Demain, ajouta Etienne, nous descendrons dans la vallée. D'ailleurs, je pense que nous sommes maintenant en Californie.

En Californie! Et dire qu'elle y était entrée sans que rien, en elle, l'en eût avertie. Ah, quelle pauvre voyageuse elle faisait. La Californie! Tous les hivers, toute sa vie, elle y avait pensé, s'en était ennuyée, car on lui écrivait là-bas que c'était le paradis du monde: des fleurs, des arbres, des oiseaux, en tout temps la plus douce saison du monde.

Serait-ce aussi beau qu'elle l'avait désiré?
Elle eut peur pour le vieux rêve qui vivait en
elle depuis si longtemps. Etait-ce un rêve fou?
C'est demain, au soleil levant, qu'elle le sau-
rait. Pour l'instant, en cette nuit qui était
comme une nuit de veille, elle ne voulait pas
dormir. Elle attendait le miracle.

Puis la descente commença. Au loin, sous le
soleil levant, tout de suite chaud et ardent,
Eveline vit étinceler des arbres magnifiques
couverts de feuilles, de fruits, de rosée. Ensuite,
elle aperçut des massifs de fleurs surprenantes,
des fleurs immenses, qu'aussitôt elle reconnut,
car longtemps, longtemps, dans les lettres de
Californie, on les lui avait décrites, avec leurs
pétales resplendissants et leur si lourd parfum.

Assise tout contre le bord de son fauteuil, elle
dévorait du regard la vallée ouverte à ses pieds.
Une rivière bondissait au fond; plus loin, elle
disparaissait à la vue mais on pouvait suivre
son parcours sinueux, plein de grâce, par les
bouquets d'arbres qui l'accompagnaient de
chaque côté.

Elle demanda quels étaient ces arbres splen-
dides. On lui dit que c'étaient des citronniers,
des orangers, des arbres à pamplemousses, des
eucalyptus, des poivriers peut-être, et que plus

loin, au bord de l'océan, elle verrait aussi des pins maritimes, et bien d'autres espèces encore.

— La mer, on verra aussi la mer?

— Peut-être pas de l'autobus, mais on ne sera pas loin.

A Los Angeles, dans le brouhaha du terminus, Etienne Denis lui fit ses adieux. C'était le dernier de ses compagnons dont Eveline se séparait. Quelque chose de chaleureux, de doucement humain se terminait. Qu'est-ce donc qui viendrait maintenant?

*L*ONGTEMPS avant le village où elle devait descendre, Eveline était toute prête. Elle avait remis ses lourds vêtements d'hiver pour ne pas les avoir sur les bras. Des gens en robes d'été et en costumes de toile montaient dans l'autobus en se plaignant de la chaleur. Voyant la vieille dame emmitouflée jusqu'au cou, ils ne pouvaient s'empêcher d'écarquiller les yeux. Mais bientôt on les renseignait: «Elle est en route depuis six jours, depuis Winnipeg, au fond de l'hiver, pour aller voir un frère qu'elle n'a pas revu depuis trente ans et qui est peut-être mourant...» Et l'étonnement des regards se changeait en sollicitude.

Elle-même enfin commençait à pressentir la vieillesse de Majorique. Oui, à présent qu'elle parcourait cette vallée toujours jeune et fleurie, le passage des humains sur terre lui paraissait bref, poignant et vraiment incompréhensible. Elle vit comme une insouciance inexplicable l'intérêt qu'elle avait pu prendre au voyage jusque-là. Seule la mort, sans doute, était importante.

On atteignit un petit village. Une femme d'une cinquantaine d'années, vêtue d'une robe sombre mais légère, monta à bord. Elle parla au chauffeur, qui demanda alors à voix haute :

— La voyageuse de Winnipeg... Voulez-vous venir?

Comme pétrifiée, Eveline regardait en elle ses pensées décousues et errantes. Tout à coup, elle songea que la voyageuse de Winnipeg, ce devait être elle-même. Mais qui l'appelait? On n'était pas encore à Encinitas. Indécise, elle se leva, eut un moment de vertige et parvint à s'avancer vers la sortie. Cette femme près du chauffeur lui sourit. Qu'y avait-il là d'étonnant? Tant de gens, ces derniers jours, lui avaient souri. Comme elle tentait de rendre à cette inconnue son expression aimable, Eveline se sentit mal. La chaleur, sans doute. Alors elle entendit l'inconnue lui adresser la parole :

— Ma tante... J'ai pensé venir au devant de vous, raccourcir un peu votre voyage en autobus...

— Es-tu une fille de... Majorique?

— Clarisse... Je suis Clarisse, ma tante.

ÉVELINE

Cette femme ne savait plus ce qu'était l'hiver, elle n'en avait qu'un souvenir vague, presque effacé. Aussi l'impression de froid, de neige, de bourrasques qui s'attachait à la petite tante surgie du Manitoba par une journée radieuse lui donnait-elle presque envie de rire, à la fois de tendresse et de nervosité.

— Ah, Clarisse! s'écria Eveline.

Et, reprenant un peu ses esprits, tendant les mains au devant d'elle, elle demanda presque en criant:

— Ton père?

Alors, ne pouvant contenir sa nervosité, n'en revenant pas elle-même de la surprise qu'elle causait à sa vieille tante, Clarisse répondit:

— Il est mort, ma tante.

Une fatigue mortelle, la déception la plus poignante, le chagrin, la confusion, tout cela subitement s'inscrivit sur le visage d'Eveline. Une rapide vision d'arbres, de fruits, de fleurs, de neige, de route, s'emmêla dans son esprit, et, battant de l'œil, elle s'écroula dans les bras de Clarisse.

*J*AMAIS elle n'aurait pu imaginer pareille veillée funèbre. Sous des masses de fleurs, Majorique reposait, le visage calme et les mains jointes. Ses cheveux encore parfaitement noirs étaient presque aussi bien fournis que dans sa jeunesse. La petite moustache, à peine moins fière qu'autrefois, donnait à la bouche une expression moqueuse. On avait vraiment peine, en le regardant, à comprendre qu'il était mort. Plutôt, il semblait se reposer, ou même feindre la mort afin d'apprendre ce que tous pensaient de lui et s'il était vrai qu'on l'aimait.

Après l'avoir longuement contemplé, Eveline revint s'asseoir parmi tous les gens qui se trouvaient dans la pièce à côté. La famille sans doute. Hors Clarisse, Eveline ne situait personne bien clairement. Tout s'était passé si vite et comme dans un songe. Revenue à elle après le choc de l'arrivée, soignée par Clarisse, elle avait accompli dans l'auto de celle-ci la dernière partie du voyage. Ensuite, on lui avait présenté une pleine maisonnée, des neveux, des nièces, des arrière-neveux, des camarades de ceux-ci. Malgré la meilleure volonté du monde, elle n'avait pu retenir ni les noms ni les relations. On avait voulu l'envoyer se reposer. Mais comment l'aurait-elle pu, alors qu'il y avait tant à apprendre, à souffrir, à connaître...

Elle éleva un peu la voix au-dessus de la conversation générale. En plus de parler tous ensemble, ces gens s'exprimaient en plusieurs langues.

— Ce que je voudrais savoir, fit-elle, c'est comment vous êtes tous arrivés à temps, vous autres, pour la mort de Majorique.

— Mais ma tante, répondit gentiment une de ses nièces, depuis plusieurs années, presque tous nous vivions autour de Père. Je suis Noémi.

— Ah oui, Noémi. C'est toi qui étais garde-malade. Autrefois ton père m'avait envoyé une petite photo de toi, mais je ne t'aurais pas reconnue.

— Voilà mon mari, dit Noémi.

Le regard d'Eveline hésita entre deux hommes debout auprès de Noémi.

— Non, pas ceux-ci, fit sa nièce qui ne put s'empêcher de sourire de la mine confuse d'Eveline. Pauvre tante, c'est toute une aventure, n'est-ce pas, de vous découvrir une famille inconnue au bout du monde.

Et elle indiqua un homme blond, assez sec.

— Jimmy, fit celui-ci en s'inclinant.

— Mon mari est Ecossais d'origine, expliqua Noémi.

— Et la jolie petite blonde aux yeux si bleus, demanda Eveline, est-ce aussi une de mes nièces? Excusez-moi tous, ajouta-t-elle, de vous demander ainsi qui vous êtes. Quand vous avez quitté le Manitoba, vous n'étiez que des enfants... et certains de vous n'étaient même pas nés.

— C'est la femme de Serge, une Hollandaise, c'est-à-dire Américaine maintenant, car nous sommes tous devenus citoyens de ce pays.

— Elle a l'air bien gentille, la femme de Serge, fit Eveline. Comment s'appelle-t-elle?

— Greta.

Alors, trois jeunes garçons qui venaient d'entrer vinrent embrasser la joue d'Eveline.

— *Hello Auntie*, firent-ils à tour de rôle.

Comme personne ne songeait à les lui présenter, Eveline en conclut que peut-être cela avait déjà été fait. Ils étaient tous trois charmants, très beaux. D'ailleurs presque tous dans cette maison avaient un teint doucement doré par le soleil, un air de santé et une véritable beauté de visage et de corps. Eveline adressa un sourire à la ronde. Puis son regard refit le tour de la pièce et se posa sur un petit vieux taciturne au teint hâlé, qui fumait sa pipe en silence. Qui pouvait-il être? Pas un neveu sûrement, étant donné l'âge. Elle alla rejoindre Noémi et Clarisse qui faisaient des sandwiches dans la cuisine.

— Qui est le petit vieux qui ne dit pas un mot et reste dans son coin à fumer?

Clarisse sourit.

— Un vieil ami de Père, Olaf. Il habite une petite cabane non loin d'ici. Dans les derniers temps, lui et Père ne se quittaient pour ainsi dire jamais.

Pour ne pas gêner ses nièces, car la cuisine était toute petite, Eveline revint s'asseoir au salon. Un groupe causait en anglais. De temps en temps Greta s'adressait dans une autre langue à une vieille personne, peut-être la grand-mère hollandaise, pensa Eveline. Il y eut beaucoup d'allées et venues. Des gens sortaient, revenaient au bout d'un moment. Voyant Eveline seule, Greta vint s'asseoir auprès d'elle.

— Dites-moi, Greta, qui sont les trois beaux jeunes garçons qui sont venus m'embrasser tout à l'heure? Je devrais le savoir, sans doute, mais tout se mêle dans ma tête.

— Ce sont mes trois *boys*, Auntie: Edwin, Frank et Tommy.

— Autre chose, ma chère Greta. Comment Majorique a-t-il réussi à vous faire tous venir et rester auprès de lui? Moi, mes enfants sont tellement éparpillés.

— C'est une drôle d'histoire, commença Greta. Je pense que Majorique a toujours compris la jeunesse... mieux que tout autre. A la mort de sa femme, il s'est trouvé presque seul ici. Un de ses fils était à Vancouver, je crois. Serge, qui devait devenir mon mari, était à Gravelbourg, si je me souviens bien. Et ainsi de suite. Alors Majorique s'est mis dans la tête de rassembler sa famille. Et savez-vous que ça lui a pris seulement cinq ans en tout?... Comment il s'y est pris?... Eh bien, en encourageant chacun de ses enfants à faire exactement ce qu'il voulait faire. Ainsi Léopold avait toujours voulu être garagiste. Père l'a donc aidé à monter une très bonne affaire, un grand garage à la croisée des routes, à deux milles d'ici. Mon mari Serge, lui, est vendeur de gaz butane. Nous avons quatre camions de livraison. L'été, nos *boys* nous aident beaucoup. Moi-même, je conduis parfois un des camions...

— Mais le mari de Noémi, celui qui est professeur?

— Ah, celui-là, ç'a été un peu plus difficile de le faire venir. Mais Majorique a fini par découvrir qu'il avait une passion pour les abeilles. Il a donc monté un rucher assez important, puis il a prétendu ne pas savoir comment se tirer d'affaire... Et Jim est venu prendre en main toute l'entreprise, croyant ainsi rendre service à Père.

— Et Clarisse?

— Clarisse et son mari ont un *hardware store*... comment dites-vous en français?... une quincaillerie... à deux milles aussi. Nous avons encore parmi nous un marchand général, un plombier...

— Vous formez donc un village.

— C'est ça. Nos maisons sont toutes ici sur la colline. Père possédait le plus beau site au monde, et il nous en a vendu à chacun une parcelle. Venez voir ça, Auntie.

Elles sortirent. Ayant fait quelques pas sur le gazon, Eveline leva les yeux vers le ciel. Les étoiles brillaient, claires et comme proches de la terre. De beaux arbres, tout autour de la maison, recevaient la lumière des fenêtres;

leurs feuilles, qui semblaient en frémir, bruissaient doucement.

— Les arbres de Majorique! dit Eveline. Dire que je vois les arbres de Majorique!

— Oui, il a planté quelque chose comme cinq ou six mille arbres. Demain, on vous fera visiter le verger de citronniers, puis le bois d'avocados. Vous savez, il était le dernier des petits propriétaires, ici dans la vallée. Tous les autres ont cédé aux prix fantastiques que leur offraient les grandes compagnies, les trusts de producteurs de fruits. Ou bien ils se sont laissé décourager par les mauvaises années. Mais Majorique, lui, a tenu bon. Le dernier des petits propriétaires. Ça l'amusait de tenir tête aux magnats des vergers. Un an avant sa mort, on lui a offert un demi-million, et il a refusé en riant.

Un parfum sucré volait dans l'air. Emue, Eveline le respira en cherchant d'où il venait.

— C'est le marronnier blanc, dit Greta, et elle indiqua l'arbre fleuri qui laissait tomber ses branches gracieuses près d'un bungalow blanc aux volets bleus. C'est le marronnier et la maison de Maxence et Flora.

Un peu plus loin apparut un autre bungalow enveloppé de silence et d'arbres frémissants.

— Ça c'est le mien. Là-bas, dans les eucalyptus, c'est la maison de Clarisse, parce qu'elle
souffre un peu d'asthme, comme sa mère, et
que l'odeur de ces arbres lui fait du bien.

— Tous ensemble sur la colline! s'écria Eveline. Et c'est lui, Majorique, le voyageur perpé-
tuel, qui a réalisé ça. Moi dont les enfants ont
pris le large, je n'en reviens pas.

Greta prit la main d'Eveline, la serra avec
douceur.

— Avez-vous été heureux, tous ensemble?
demanda Eveline.

— Oh, nous avons nos petites divergences.
Mais, oui, je pense, nous sommes heureux.
Mais j'y songe, Auntie du Manitoba, pourquoi
ne resteriez-vous pas avec nous? Une petite
maison sur la colline, ça ne vous tenterait pas
vous aussi? Le vieil Olaf, l'ami de Père, est très
habile menuisier. C'est lui qui a construit nos
maisons. En un rien de temps, il vous en
construirait une à vous aussi...

— Chère Greta, répondit Eveline en lui
adressant un regard tendre, cela ne se pourrait
pas. Mais j'ai déjà mon contentement de vous
voir vivant ici tous ensemble... Et Flora, de
quelle nationalité est-elle?

— Flora est Norvégienne, mais de mère
irlandaise.

71

— Que pensait Majorique de ces unions si mélangées, en était-il content?

— Très. Il disait que nous formions une des familles les plus riches, les plus variées du monde, que nous avions pris ce qu'il y a de meilleur à chaque peuple. Il nous appelait sa petite société des nations.

Elles revinrent au salon. Eveline crut y découvrir des visages nouveaux, mais elle n'en était pas sûre; selon l'éclairage, ou selon les pensées qui les animaient, les physionomies autour d'elle semblaient sans cesse se transformer.

— On ne dirait pas que Père est mort, observa Clarisse. Il me semble qu'on va l'entendre siffloter au détour du sentier, puis qu'il va entrer de son long pas souple en annonçant, car il ne s'est jamais lassé des nuits d'ici: «Je n'ai jamais vu tant d'étoiles...»

A cause de la chaleur, on avait laissé les fenêtres et les portes grandes ouvertes. Un vent frais gonflait légèrement les rideaux et leur donnait parfois la forme de corps humains sans poids, prêts à s'envoler.

— Parlez-nous de Père quand il était jeune, demanda Noémi.

— Jeune, dit Eveline en les regardant à tour de rôle, a-t-il jamais été autre chose qu'un jeune homme?

— Oui, mais enfin, quand nous ne le connaissions pas encore...

Le visage d'Eveline prit une expression de doux étonnement.

— Vous me demandez cela... et je me rappelle que dans l'autobus (j'étais entourée de gens si sympathiques) j'ai raconté l'histoire de la photographie. La connaissez-vous? Majorique vous l'a-t-il déjà contée?

Ils se consultèrent du regard, creusant leurs souvenirs.

— Non, quelle histoire?...

— Non, assura Clarisse, il ne l'a jamais contée. Peut-être vous l'avait-il réservée, tante Eveline.

— Ah, c'est possible, dit Eveline. Dans notre famille, on n'empiétait pas sur les histoires qui étaient censées appartenir à l'un de nous. Et déjà, autrefois, celle-ci passait pour être la mienne.

— Vite, racontez! firent les trois enfants de Greta en venant s'asseoir aux pieds d'Eveline.

— Mon Dieu, je ne sais pas si je devrais. C'est une histoire très gaie...

Et elle demanda tout à coup:

— Parlait-il de moi quelquefois?

Le vieil Olaf, à la surprise de tous, toussota, vida sa pipe en la frappant contre son soulier, et commença avec son dur accent:

— De sa sœur, la petite Eveline comme il l'appelait, il me parlait souvent...

— A vous! fit Eveline.

— Il m'a dit un jour, poursuivit Olaf: «Il faudrait pourtant que je la fasse venir. Imagine-toi, Olaf, elle n'a jamais vu l'océan!»

— Ah, fit Eveline, ainsi il se rappelait ce que je lui avais dit un jour, que je m'ennuyais de l'océan.

— De l'océan! dirent-ils étonnés.

— Je ne l'ai encore jamais vu, dit Eveline.

— Comment! Mais, Auntie, il faut se dépêcher de vous le montrer!

Un des jeunes garçons, était-ce Edwin ou Frank, prit la main d'Eveline.

— Demain, *Auntie dear*, je vais, moi, te faire voir l'océan.

Eveline lui sourit.

— Et cette histoire? redemandèrent-ils.

— Eh bien, dit Eveline, dans ce temps-là nous étions établis depuis quelques années seulement sur nos terres du Manitoba. La famille comprenait votre grand-père François, votre grand-mère que l'on appelait Bobonne, et leurs enfants...

Leurs regards attentifs l'enveloppaient, la stimulaient. Elle ne racontait pas tout à fait dans les mêmes termes qu'à ses compagnons de voyage. Répétée textuellement, son histoire n'aurait pas été assez vivante. Pour bien raconter, elle le savait, il fallait d'abord être prodigieusement captivé soi-même, et à cela on n'arrivait qu'à force de renouvellement. Bien entendu, elle ne pouvait ni ne voulait changer les faits, mais leur interprétation ne variait-elle pas à l'infini? Du reste, ce qui faisait une bonne histoire, propre à saisir le cœur, elle commençait à bien le savoir maintenant, c'était malgré tout la vérité: vérité des personnages, vérité des lieux, vérité des événements. Aussi s'appliqua-t-elle plus fort que jamais à chercher la vérité de son histoire dans ses recoins les plus secrets. Bobonne apparut, raide et majestueuse, et François, avec sa politesse un peu vieillotte, et autour d'eux la plaine du Manitoba, son immensité presque terrifiante, comme si elle-même tout à coup venait d'en saisir toute l'ampleur.

Quand elle eut fini, ils demeurèrent longtemps immobiles auprès de la conteuse. On eût dit qu'ils se sentaient comblés par tout cet inconnu qui leur paraissait maintenant si proche, si intimement mêlé à leurs propres vies. Quand ils se remirent à parler, ce fut tout naturellement de Bobonne, de François, fondateurs d'une famille aux ramifications norvégienne, hollandaise, irlandaise. N'était-ce pas beau, songea Eveline, que ses parents et elle-même, grâce à Majorique, fussent désormais réunis à tout ce monde si loin d'eux? Voir cela était peut-être, au fond, l'unique but de son voyage jusqu'ici.

— Allons prier, dit-elle.

Ils s'approchèrent du cercueil. Il sembla à Eveline qu'un sourire tendre, qu'un délicat plaisir se jouait sur le visage du mort. Elle s'étonna de nouveau qu'il eût si peu vieilli. Qu'est-ce donc qui l'avait gardé si jeune? Tout à coup, elle sourit, songeant qu'il s'amusait sans doute en ce moment de voir la farouche Bobonne réunie enfin à ses petits-enfants hollandais, norvégiens, écossais. Des pétales de fleurs glissaient silencieusement sur le tapis. Au dehors, on entendait les arbres s'agiter mollement.

Dès qu'ils revinrent s'asseoir dans le salon, Eveline demanda:

— Rachel ne viendra-t-elle pas?

— Demain seulement, pour les funérailles, dit Clarisse. Elle est d'une communauté assez stricte.

— Mon Dieu, oui, comment ai-je pu oublier qu'elle est devenue religieuse, car votre père m'avait longuement écrit autrefois à ce sujet. Etait-elle jolie, Rachel?

— Très jolie, certainement la plus jolie des filles de Majorique, répondit Clarisse. Père riait un peu de cela, disant que le Seigneur avait meilleur goût que nos maris.

Et elle se mit à sourire.

— Peut-être, dit Noémi, qu'il ne manquera aux funérailles que Celui-qui-marche. Nous lui avons envoyé un télégramme, mais je me demande s'il pourra venir.

— Celui-qui-marche?...

— Oui, tante Eveline, c'est Roberto. Père l'avait baptisé ainsi.

— Mais oui, c'est vrai, le petit Roberto! Il avait été frappé tout jeune de poliomyélite, n'est-ce pas?

— Rien de plus triste, raconta Clarisse. C'était le plus bel enfant du monde, et le voilà tout à coup les jambes comme mortes, se traînant par terre comme un petit animal. Père l'avait conduit chez trois ou quatre docteurs. Dans ce temps-là il n'y avait pas grand-chose à faire en pareil cas. Mais Père n'a pas perdu espoir. Il s'est mis à étudier la médecine. Oui, pendant deux ans, il n'a lu que des livres de médecine, surtout ceux qui traitaient de maladies nerveuses.

— Il valait d'ailleurs mieux que la plupart des docteurs, dit le vieil Olaf dans son coin. C'est lui qui m'a fait le plus de bien pour mes rhumatismes.

— Finalement, continua Clarisse, il a entendu parler d'un chirurgien spécialisé dans les opérations de greffe, et il est parti avec l'enfant pour Los Angeles. Pauvre petit Roberto! Cinq ans de torture commençaient pour lui. Tantôt opéré, tantôt dans le plâtre. Père allait le conduire à l'hôpital, le ramenait au bout d'une semaine ou deux, repartait pour un autre hôpital. Il lui avait promis qu'il marcherait, qu'il aurait une bicyclette...

— Ah, et a-t-il pu enfin aller à bicyclette?...

— Pas tout à fait, mais il s'en est fallu de peu. Quand les jambes de Roberto ont eu un peu de vie, Père lui a fait faire des exercices. Il avait fait venir toutes sortes d'appareils, il en a même inventé pour stimuler l'ardeur du petit. Il lui faisait croire qu'il était au cirque et devait grimper sur des trapèzes, ou bien qu'il était un cow-boy et qu'il devait galoper derrière les troupeaux pour les rassembler...

— Et aujourd'hui?

— Tous les docteurs ont dit que c'était un miracle. Roberto a d'abord marché avec des béquilles et de lourds appareils aux jambes.

A présent, il paraît qu'il a seulement besoin d'une canne et d'un fer assez léger à la jambe gauche.

— Et où est-il, Celui-qui-marche?

— Ah, dit Clarisse, celui-là seul, Père n'a pas su le retenir. Malgré son infirmité, il avait une passion pour le lointain et les aventures. Il a déjà parcouru une bonne partie du monde, la Nouvelle-Zélande, l'Australie... Pour le moment, il s'est fixé dans les îles...

— Les îles...

— Les îles Fiji. Et peut-être va-t-il y rester. Il possède là-bas une plantation d'ananas. De nous tous, c'était lui qui ressemblait le plus à Père, et, comme c'est curieux, ils ne se sont pas tellement bien entendus...

— Celui-qui-marche, prononça Eveline, comme émerveillée.

— Lui aussi a fait presque tous les métiers, dit Clarisse, et même, je me rappelle, celui de photographe. Je me souviens d'une histoire...

Ses épaules allèrent doucement comme si elle allait rire bientôt. Mais Noémi lui jeta un regard désapprobateur, presque choqué.

— C'est bien terrible, dit-elle. On est là à raconter des histoires pendant que Père est encore sur les planches.

C'était vrai. Tous ensemble ils n'avaient guère fait autre chose. Ils prirent un air contrit.

— C'est moi qui ai déclenché tout cela, dit Eveline. Je m'excuse.

— Mais j'y pense, fit Clarisse, il a dit lui-même que c'est ce que nous ferions. Oui, quelques jours avant sa mort, il m'a dit : «Ne m'envoyez pas dans un salon funéraire, ce n'est pas intime. Faites-moi embaumer afin que je sois tout de même présentable, mais gardez-moi à la maison. Ce ne sera pas trop ennuyeux, vous verrez.» J'ai voulu le faire taire, vous pensez bien, mais il tenait à son idée.

— Quand même, reprit Noémi, c'est presque scandaleux ce que nous faisons...

— Et il m'a dit ceci, poursuivit Clarisse : «Vous serez autour de moi et vous vous raconterez des histoires...»

COMMENT veillée funèbre fut-elle si peu funèbre! Peut-être était-ce à cause de la chaleur. Il avait fallu tout laisser ouvert, et sans cesse les parfums d'herbes, de fleurs et d'arbres fruitiers pénétraient dans la maison, avec le son tranquille des feuillages doucement remués.

A son tour Serge parlait.

— Dans les derniers temps, je veux dire il y a un an ou deux, Père s'est surtout intéressé à l'astronomie.

— Aux étoiles! Ça ne me surprend pas, dit Eveline. Il a toujours prêté beaucoup d'attention aux planètes, au mouvement des astres...

— Il s'est rendu jusqu'à Palomar. Savez-vous, ma tante, qu'il y a à Palomar le télescope le plus puissant au monde?

L'aîné des fils de Majorique était un gros homme d'allure lente, paisible, un peu bedonnant, qui avait paru jusque-là assez terne à Eveline. Et voici qu'elle lui trouva, lorsqu'il se mit à parler d'astronomie, quelque chose de la vitalité si intense de Majorique.

— Donc il est allé regarder les planètes, poursuivit Serge, dans ce télescope géant de Palomar. Il en est revenu complètement ensorcelé, et sur-le-champ il s'est mis à construire un petit télescope...

— Je l'ai aidé, dit un des fils de Greta. Tous les soirs, Grandpa et moi, on allait regarder les étoiles dans notre télescope.

— Il est au fond du jardin, sous un abri de planches, dit Clarisse. Demain on vous le montrera, tante Eveline.

— Mais moi, demain, fit Edwin, j'emmène *Auntie dear* voir l'océan pour la première fois de sa vie.

— Non, c'est moi, répliqua Frank, qui aurai *Auntie dear* à moi tout seul pour lui montrer mes photographies.

— Comment, tu aimes aussi la photographie? demanda Eveline.

— Avec Grandpa, répondit le jeune garçon fièrement, j'ai filmé le désert. Si tu veux, je ferai un petit film de toi.

— Oui, expliqua Serge, Père a beaucoup aimé le désert aussi. Il y allait presque chaque printemps pour filmer l'éclosion des fleurs de cactus.

— Je te raconterai aussi, dit Frank, toutes les histoires que Grandpa racontait sur toi, quand tu étais une petite fille.

— Oh vraiment! dit Eveline en s'emparant des mains de l'enfant, il t'a parlé de moi?

— En échange, dit Frank, tu me conteras *some other fine stories about the old people...*

— Mais je ne sais pas raconter en anglais.

— *It's all right,* dit Frank. Tu conteras comme tu peux, dans ton français, et je guetterai tes petits yeux qui rient, je guetterai ton visage, et je pense que je comprendrai.

Tous les moments de la vie s'échangeaient parfaitement, songea Eveline, le passé et le présent, son enfance et celle du petit Frank, comme si c'était cela, la mort: tous les instants enfin réunis.

*L*ENT à se mettre en branle, sans doute taciturne à ses heures, Serge, une fois qu'il avait pris la parole, ne se la laissait pas enlever facilement.

— De ses voyages à Palomar, contait-il toujours, Père revenait de plus en plus persuadé que les planètes seraient bientôt accessibles aux hommes. Au fond, disait-il, la terre est toute petite, et on en a fait le tour depuis longtemps. Ce qui reste à découvrir maintenant, ce sont les espaces interplanétaires, la lune, Mars... *Well, well, well,* dit-il tout à coup avec un sourire de bienvenue à l'adresse d'un jeune homme qui entrait après avoir frappé au chambranle de la porte ouverte. *Come in, Father McConnaugh.* Justement on parlait des idées de Père sur les astres...

Eveline se tourna vers l'arrivant, un prêtre sans doute, puisque Serge l'avait appelé Father.

Hors le col romain, son costume ne l'indiquait guère cependant. Vêtu d'un costume de toile pâle, de souliers clairs et d'un chapeau de paille, il sourit largement et ses dents parurent très blanches dans son visage hâlé. Il s'assit au milieu d'eux, déposa son chapeau par terre et croisa les jambes.

— Vous parlez sans doute de sa théorie de l'éternité, fit-il. Ma foi, il n'y avait rien là d'hérétique, je le laissais dire, car il y tenait. Et d'ailleurs, l'Eglise accepte de mieux en mieux la théorie de l'évolution.

— Son idée, reprit Serge, était qu'une petite partie de l'humanité habitait dans quelque planète éloignée et, n'ayant pas pris de mauvais tournants au cours des siècles, avait conservé une innocence primitive.

Father McConnaugh, renversé dans son fauteuil, souriait:

— Il prétendait que dans cet Eden préservé il n'y avait ni enfants infirmes, ni asthmatiques, ni pauvres, ni riches, que les animaux et les humains vivaient là en parfaite amitié...

Eveline était songeuse.

— Ainsi, fit-elle, la question de la souffrance devait le préoccuper, quoi qu'on ait pu penser...

Et enfin elle posa la question qui lui brûlait les lèvres depuis son arrivée...

— Avant la fin, a-t-il souffert? C'était le cancer, n'est-ce pas?

Leurs avis furent partagés. Selon Serge, non, la vraie souffrance lui avait été épargnée. Cependant, Clarisse raconta qu'un jour qu'il ne se savait pas observé, elle avait surpris sur son visage l'expression d'une grande douleur.

— Et pourtant, dit Noémi, presque jusqu'à la fin il a refusé de prendre des calmants. Quand on insistait pour lui en donner, il déclarait que les pouvoirs d'embellissement de la drogue étaient grandement surfaits. «La réalité est plus belle encore, disait-il. Rien n'est comparable à la réalité.»

— Savait-il qu'il allait mourir? demanda Eveline.

Son regard leur demandait pardon à tous de leur infliger pareille question.

— Il le savait sûrement, répondit Father McConnaugh. Il a réparti ses biens, il a arrangé toutes ses affaires, il a jeté plusieurs fois sur sa vie un regard qui la voyait en entier, et il m'a dit un soir: «J'ai connu, j'ai aimé ce monde autant qu'il m'a été possible; savez-vous, Father, qu'on aime se dire cela quand on est à la veille de partir...»

— A propos de moi, demanda encore Eveline, quand et comment a-t-il décidé de me faire venir? Et pourquoi un télégramme si étrange?

— Je voulais le rédiger autrement, raconta Clarisse. Mais il n'a pas voulu. Il disait: «Que ma petite sœur Eveline fasse au moins un beau voyage, elle qui a si peu voyagé... Il ne faut jamais, en voyageant, se laisser gâter sa curiosité par l'inquiétude...» Il vous voyait toute jeune, c'est étrange, et même en étant si malade, il riait encore en pensant à vous. «La petite Eveline!» s'exclamait-il souvent, et il se frottait les mains comme s'il vous préparait un bon tour. Mais il avait calculé que vous viendriez par avion. Et quand nous avons reçu votre mot disant que vous preniez l'autobus, il a eu l'air un peu triste. Mais aussitôt, il a souri de nouveau: «Elle verra bien mieux le pays ainsi, c'est vrai...»

— Quelques heures avant sa mort, ajouta Father McConnaugh, il a poussé un soupir d'impatience. «Father, m'a-t-il dit, j'ai hâte de le connaître celui-là qui nous a faits si étranges à nous-mêmes.» Il semblait regarder très loin. «Je crois bien que je n'attendrai plus personne, a-t-il dit. Je m'ennuie... je m'ennuie de l'autre monde...»

*L*E soleil brillait joyeusement. Au jour naissant, quand enfin elle put voir le petit coin du monde où avait vécu Majorique, Eveline eut un éblouissement. Ainsi il était venu se fixer en l'un des endroits de la terre à la fois le plus fleuri, le plus abrité et le plus accueillant. Son village était groupé sur un plateau verdoyant complètement entouré de cimes plus hautes. De grandes corolles blanches comme neige pendaient des arbres. Jamais elle n'avait respiré un air si léger, si parfumé. Edwin cueillit pour elle une fleur étincelante. «C'est une orchidée, Auntie. En avez-vous déjà vu auparavant?» Non, elle n'en avait jamais vu, et elle examina la fleur à travers les larmes qui lui montaient aux yeux. Ah, le doux chagrin que lui causait Majorique, ah, la peine éblouissante, comme s'il montrait par sa mort la joie singulière qu'il y a à accepter chaque chose en son temps.

ÉVELINE

Le petit cortège funèbre s'assembla devant la maison. En tête venait Sister Mary of the Sacred Heart, arrivée tôt le matin avec une religieuse de sa communauté, une nonne toute jeune aux magnifiques joues roses. Par un sentier en lacets, il fallait escalader la pente d'une colline voisine. Majorique avait demandé à être enterré là, dans un vieux cimetière indien, puisqu'il n'y avait plus de place auprès de sa femme dans l'enclos de San Juan Capistrano. La plus conformiste de ses belles-filles, Mathilda, l'épouse de Serge, s'en montrait choquée. Aller enterrer Majorique à pied comme les Indiens, c'était déjà à son avis presque inconvenant; par surcroît il fallait que ce soit sur le site d'un ancien village abandonné. Pourquoi, en effet, avait-il voulu une chose si étonnante, pensait Eveline. Pour que rien ne fût tristement conventionnel à la fin d'une vie qui l'avait été si peu? Ou bien se pouvait-il qu'il ait prévu autre chose, comme un désir de combler l'imagination jusqu'au bout?

Les fils de Majorique portant le cercueil sur leurs épaules, les autres suivant deux à deux quand la largeur du sentier le permettait, ils commencèrent à s'élever lentement au flanc de la colline. Personne n'était en grand deuil, car il l'avait défendu. Les femmes portaient du gris pâle, du blanc ou du noir, mais agrémenté d'un peu de couleur. Eveline était dans une robe de Clarisse qu'on avait refaite à sa taille la veille, une robe d'étoffe légère. Après qu'ils eurent monté quelque temps, un vent frais circula autour d'eux, et tout ce qui était libre de voleter, écharpes, mèches de cheveux, pans de jupes, se mit à battre gracieusement dans l'air.

Alors, après l'avoir perdu de vue un instant, ils retrouvèrent le village de Majorique au fond du paysage. Il était devenu plus petit, mais aussi plus uni. Le flanc des montagnes voisines était couvert d'une végétation mauve pâle, légère comme une mousse, et odorante sans doute car sans cesse leur parvenaient des bouffées de parfum délicat.

— Les lilas sauvages! dit Edwin.

L'enfant comprenait très bien à présent la vieille femme et toutes les questions qui se pressaient dans ses yeux avides. Comme ils cheminaient ensemble, lentement, à petite distance des autres, il raconta alors ses projets d'avenir. Grandpa était d'accord. Jusqu'à la fin ils en avaient parlé ensemble. Les voyages interplanétaires, voilà, n'est-ce pas, ce qui était le plus passionnant. Dans son petit laboratoire d'essai, il avait commencé à construire une fusée. Grandpa Majorique ne riait pas du tout de cette tentative. Grandpa avait même aidé au plan de la fusée. Bien sûr, ce n'était qu'un commencement, mais avec le temps, peut-être...

Le cortège s'échelonnait à des niveaux successifs et tournait un peu sur lui-même au gré de la petite route en spirale. Ainsi, à un moment la tête et la queue de la procession furent presque vis-à-vis. Alors, une immense trouée dans le paysage leur révéla de nouveau toute la vallée à leurs pieds et la route qui y serpentait. Ils virent une grande auto resplendissante engagée à toute vitesse. Elle atteignit la maison de Majorique et s'arrêta. Une femme descendit et aida quelqu'un d'autre à la suivre. Un homme s'appuyait au bras de la femme; on vit qu'il boitait. Puis, levant la tête vers la colline, il commença à agiter la main, sa canne pointée vers le cortège. Alors ceux du cortège commencèrent aussi à lancer des signes d'amitié et de joie.

— C'est Roberto! Celui-qui-marche!

On posa le cercueil dans l'herbe fraîche. Quelques-uns s'y assirent, d'autres s'appuyèrent contre des pierres au flanc de la montagne. De toutes parts on entendit les oiseaux chanter. Peu à peu, aux yeux de ceux qui le regardaient monter, Roberto grandissait. Il venait, sautillant plutôt que marchant, agile, légèrement appuyé au bras de sa compagne. Bientôt on distingua qu'elle avait un beau teint foncé et d'immenses yeux noirs. Sister Mary of the Sacred Heart volait à la rencontre de Roberto et de sa femme, sa coiffe disparaissant et reparaissant parmi les feuillages comme un grand oiseau blanc.

*P*LUS tard, quand ils attaquèrent ensemble la dernière pente de la colline, Eveline pensa que Majorique, en tête du défilé, devait sourire de triomphe. N'avait-il pas réalisé aujourd'hui le plus beau tour de sa vie?

L'air devint encore plus léger. La montagne verdoyante, les fleurs exquises, ce ciel d'été quand ce devrait être l'hiver, c'en était trop sans doute pour Eveline. Elle pensa un moment: «Majorique n'est pas mort. Il s'amuse à nous réunir de tous les coins du monde pour cette promenade magnifique.»

Quelques pas encore et ils atteignirent la petite chapelle déserte, abandonnée depuis si longtemps que des centaines d'oiseaux y avaient trouvé refuge. Un vol bruyant s'en échappa quand Father McConnaugh, d'un coup d'épaule, ébranla la porte. Et pendant tout le service ce fut un gazouillement joyeux, plein de fraîcheur et d'amitié.

Puis la famille s'approcha de la fosse qui exhalait une odeur de terre forte et douce. Alors Eveline se dit qu'il était vraiment temps de s'affliger sur elle-même et sur Majorique. Comment se pouvait-il que pas un instant jusqu'ici elle n'ait éprouvé ce qu'on appelle le froid de la mort? Ne devrait-elle pas s'en pénétrer du moins en ce moment? Mais rien ne vint à son cœur qu'un sentiment de gratitude profonde pour la vie de Majorique, généreuse jusqu'à la fin et qui, maintenant encore, la comblait d'une multitude de parents, lui faisait don de cette famille variée, étrange comme l'humanité elle-même.

On laissa tomber une première poignée de terre sur le cercueil tout en répondant aux prières de Father McConnaugh. Alors, levant la tête, Eveline aperçut en bas, très loin, miroitant sous le soleil, une surface calme, brillante et infinie. Qu'était-ce? Un mirage? Une illusion? Allait-elle se réveiller d'un moment à l'autre, s'apercevoir que depuis des jours et encore maintenant, elle vivait dans un rêve?

De nouveau elle regarda briller ce lointain uni, immense, sans rides, plus exaltant dans son mystère que tout ce qui l'avait saisie d'émotion pendant sa vie entière. Et cependant, ce n'était rien; non, rien que de l'uni, de l'infini, le calme parfait.

ÉVELINE

Alors, ayant suivi son regard et lisant sur son visage l'expression du doute et de l'espérance, le petit Edwin doucement lui pinça le bras et chuchota :

— Oui, *Auntie dear,* c'est l'océan.

ÉLY! ÉLY! ÉLY!

*J*E ME demande encore ce qui a pu me pousser, ce soir-là, pour aller de Winnipeg à Ely — village qui n'en est éloigné que d'une trentaine de milles —, à prendre le train. C'était le transcontinental, un énorme convoi comprenant rarement moins d'une quarantaine de wagons. Il partait de Winnipeg un peu avant minuit. Il mettait un temps infini à s'ébranler.

Et à peine eut-il pris sa vitesse que déjà, me sembla-t-il, il ralentissait. Peu après survint le chef de train qui, l'air assez mécontent, prit mes lourdes valises qu'il traîna jusqu'à la plate-forme — j'étais en queue de convoi, dans le tout dernier wagon. Il ouvrit la porte à un vent furieux, sur une campagne d'un noir d'Apocalypse, et, dans ce gouffre, sur le ton de l'incantation, lança à grands cris: Ely! Ely! Ely!

ÉLY! ÉLY! ÉLY!

Je connaissais le nom depuis l'enfance, mon père ayant établi à Ely des colons du Québec, même des gens de sa famille, et en ayant sans cesse parlé. Je n'y avais pourtant jamais mis les pieds, ni même ne m'y étais sentie attirée. Pour que s'éveillât la passionnée curiosité qui me tenait maintenant envers les gens et les lieux canadiens, il avait fallu bien des circonstances: que je vive à l'étranger, parcoure des coins perdus de l'Essex et de la Provence; que, de retour et fixée à Montréal, je connaisse la solitude; et peut-être, avant toute chose, que je me sente, pendant quelque temps, comme sans pays.

Le chef de train, descendu sur le ballast et trouvant sans doute que je mettais du temps à le rejoindre, se remit à clamer dans le vide: Ely! Ely! Ely!

J'arrivai. Il me tendit la main. Je me trouvai, auprès de lui, dans une obscurité profonde, sans signe de vie autre que celle du train piaffant jusqu'au tout dernier wagon de l'impatience à repartir que lui communiquait la locomotive, si loin en avant qu'on pouvait seulement en deviner la force retenue.

— Mais où est Ely? demandai-je.

Le chef de train pointa en direction de quelques faibles lumières éparses dans le lointain.

ÉLY! ÉLY! ÉLY!

Il sauta sur le marchepied, attrapa son fanal qu'il se prit à balancer en dehors du train, dans la nuit noire, comme un prêtre son encensoir. Aussitôt le train repartit, prenant vite cette fois une allure rapide comme s'il n'avait attendu que d'être débarrassé de moi. A coups de siffiet on aurait dit soulagés, il annonça: De longtemps je n'aurai plus à m'arrêter. Son feu arrière déjà se perdait dans l'infini soyeux de la nuit sur la Prairie. Alors je compris qu'il m'avait déposée au plus près possible d'Ely, si lui-même devait s'y trouver, sa locomotive à la hauteur de la gare. Ce qui faisait que, lui à Ely, moi je devais en être éloignée d'un bon demi-mille dans la campagne.

Je me vis en sandales légères, loin de toute habitation, dans une sorte de nuit des temps, avec deux valises à traîner... et j'éclatai de rire. Puis laissant à travers les herbes hautes mes valises qui n'avaient certainement rien à craindre, je partis à pied devant moi.

Or la nuit que j'avais pu croire vide et inanimée se révélait toute pleine de légers bruits chantants qui se rattachaient à une vie nocturne abondante, quoique, tout d'abord, un peu difficile à déchiffrer. A une sorte de respiration tranquille, je devinai des champs de blé qui se déroulaient en profondeur de chaque côté du chemin de fer. Parfois, quand deux vagues de tiges en venaient à se heurter, il en résultait un étrange bruit de houle. Dans ces champs secs, selon les caprices du vent, il y a apparemment une manière de ressac.

J'entendais aussi, par intervalles, en sourdine, un grincement. Ce n'était pas encore tout à fait la saison des insectes violoneux. J'aurais pourtant juré que l'un d'eux, sauterelle ou grillon, longtemps avant les autres essayait son coup d'archet. Et le rail chantait encore quelque peu sous le roulement du train déjà sans doute parvenu au prochain village.

J'allais lentement. Cette nuit insolite où j'étais débarquée en étrangère me devenait familière et amicale. Me suis-je jamais sentie autant au Canada qu'en cette nuit-là? Les mains libres, les cheveux au vent, je me rappelais ces hobos de mon enfance que l'on voyait venir noirs de la suie du chemin de fer et qui racontaient le pays comme personne. Le premier lien d'un pays ne serait-il pas un lien physique: fleuve, rivière, sentier, route, chemin de fer? Cela expliquerait pourquoi notre cœur garde un attachement au chemin de fer, alors qu'il s'est à peine épris de l'avion, superbe oiseau sans patrie.

ÉLY! ÉLY! ÉLY!

Maintenant, devant moi, les lumières se précisaient et dessinaient la topographie du village : sa rue principale délimitée par de chiches réverbères, une poignée de maisons aux fenêtres encore éclairées, des trous noirs entre elles, qui étaient peut-être des maisons endormies, enfin un seuil brillant : l'hôtel sans doute.

Je connaissais ces petits hôtels de l'Ouest, à peu près les mêmes partout, avec leur curieux fronton de bois découpé en marches d'escalier, leur bruyante taverne, leurs vieux ivrognes reflués, à la fermeture de celle-ci, vers le hall ou le grand salon plein d'énormes fauteuils de cuir accompagnés chacun de son *spittoon* ; avec ses familiers, à peu près aussi les mêmes d'un bout à l'autre du pays, fermiers retirés et toujours s'ennuyant, Polonais barbus, parfois l'instituteur, parfois un notaire, mais pas nécessairement ; ce qu'avaient en commun ces discoureurs, ce n'était pas tellement l'âge ou le métier, que l'éternel besoin de sonder la condition humaine.

Toutes écluses ouvertes, me parvenait à présent le flot de plusieurs conversations menées de front dans ce hall d'hôtel et, sans doute, en diverses langues, car elles formaient, à distance, la plus étrange clameur.

Or, tout à coup, de cette Babel grondante, jaillit, parfaitement intelligible, si j'ose dire, un «maudit verrat que j'y ai dit, si je revois jamais ta maudite face de renard...» La phrase m'atteignit loin encore du village, puis la grosse voix qui l'avait proférée, aussi mystérieusement qu'elle en était sortie, rentra dans le brouhaha.

Je crus entendre ensuite: «Toi, ferme ta gueule, Charrette...» et n'en revenais pas de me retrouver, pour ainsi dire, en pays de connaissance.

Les cheveux emmêlés à l'air libre, mon costume de toile blanche taché d'escarbilles, la courroie d'une sandale rompue, j'arrivai enfin dans le village. Je pense que je portais, en plus, sur le visage, la marque d'une sorte d'intoxication puisée à l'étrangeté de la nuit, à l'air revigorant et à je ne sais quelle griserie que m'avait communiquée cette longue marche dans un temps qui était comme sans frontières.

Je parus sur le seuil de l'hôtel. Les conversations tombèrent net. Des phrases restèrent en suspens. Tous les yeux se fixèrent sur moi. Et d'abord je fus moi-même stupéfaite de la stupeur que je provoquais. Après coup seulement je compris. Personne ici n'avait entendu venir d'automobile. Pour ce qui est du train, aurait-

on eu souvenir de son bref arrêt, il y avait de
cela si longtemps, qu'à personne ne serait
venue l'idée que j'avais pu en descendre. Aux
yeux de ces hommes ébahis, j'arrivais donc de
nulle part. Et de surcroît, heureuse, car sans
doute se voyait encore sur mon visage l'amu-
sement que j'avais éprouvé à m'être mise dans
de pareils draps.

Parmi cette dizaine d'hommes silencieux,
tous me dévisageant, j'en avisai un d'aspect
particulièrement saisissant, avec des yeux bleu
azur, une barbe sombre et qui portait un haut
chapeau de feutre noir en forme de tuyau de
poêle. J'avais reconnu sans peine un frère de la
secte huttérite. Je lui dis aussitôt, en anglais,
que j'étais à Ely précisément dans le but d'étudier la colonie huttérite d'Iberville, voisine de
ce village, que je comptais dès le lendemain
demander au chef du groupe l'autorisation
d'une visite et que sans doute lui et moi nous
nous reverrions. A sa mine ahurie, comme
d'ailleurs à celle de tous, je saisis que l'on
croyait mon histoire inventée sur-le-champ.

Alors, choisissant dans le groupe un visage
peut-être un peu plus bienveillant que les
autres, je demandai, à tout hasard, en français,
si je pouvais avoir une chambre pour la nuit.

ÉLY! ÉLY! ÉLY!

Le miracle est que j'avais touché juste.
L'homme auquel je m'étais adressée se détacha
des autres et s'en fut derrière le comptoir où il
se prit à farfouiller parmi un tas de magazines
tout délabrés. Enfin il mit la main sur le cahier
d'inscriptions dont la couverture était protégée
par un papier d'emballage. Il chercha ensuite
longuement de quoi écrire. Je m'étais appro-
chée du comptoir et le regardais faire. Tout à
coup, à voix basse, comme si elle espérait malgré tout passer inaperçue dans un silence aussi
complet, je l'entendis me demander :

— D'où sortez-vous ?

Etait-ce le ton sur lequel m'était posée la
question, l'atmosphère de curiosité anxieuse
qui m'entourait — la salle entière guettant ma
réponse —, toujours est-il qu'elle me parut
posée au figuré, et j'eus envie de répondre que
je n'en avais aucune idée.

Mon voyage étonnant, sa destination singulière, le murmure de voix en langues discor-
dantes qui m'avait accueillie au seuil de ce
lieu, tout, au vrai, m'inclinait à sonder jusqu'au bout la pertinente question. D'où, en
effet, est-ce que je venais ? De la ville toute
proche où j'étais née et d'où j'aurais pu cent
fois, au cours de mon enfance et de ma jeunesse, partir à la recherche d'Ely, mais je n'y

avais pas alors songé? Du Québec, lieu de mon origine familiale, où je m'étais sentie appelée vers mes racines profondes? Mais si cela était, à quel côté m'identifier surtout? Aux Roy, gens tourmentés, sévères, jansénistes à ce qu'on m'avait dit, mais aussi idéalistes et rêveurs? Ou aux Landry, légers, primesautiers, gracieux et rieurs? Où me tourner pour savoir d'où je sortais? Et ne fallait-il pas remonter plus haut encore? Sans le savoir, je fixais, au delà du seuil ouvert, le noir de la nuit. De doux bruits vagues de la Prairie toute proche venaient mourir sur ce pas de porte comme si, à petits soupirs, elle exhalait son désir d'avoir de la compagnie. Je vis tous ces hommes suspendus à mes lèvres. J'eus envie de leur demander: «D'où vient-on? Est-ce qu'on le sait!»

Cependant, derrière son comptoir, mon homme m'observait étroitement. Il reprit à voix un peu plus haute:

— D'où sortez-vous, mademoiselle?

Je l'observai à mon tour. C'était un homme entre deux âges, d'aspect agréable, assez grand, avec un teint foncé, les cheveux et les yeux noirs. Qu'est-ce qui me prit de lui retourner la question:

— Et vous?

Il eut l'air encore plus décontenancé que moi.

— A l'origine? dis-je.

Il eut un geste qui embrassait un large difficile à déterminer: «Du Wisconsin... Avant, du Massachusetts.»

— Et avant, sans doute du Québec?

Il parut se souvenir alors que c'était à lui d'interroger et recommença:

— Mais dans le monde, d'où est-ce que vous sortez... à cette heure-ci?

Je compris enfin qu'il ne tendait qu'à percer le mystère de mon arrivée à pied, à minuit passé.

— Vous auriez pu trouver la porte barrée, tout le monde couché, me reprocha-t-il. C'est rien qu'à cause de la chaleur qu'on est encore ouvert.

— Il n'aurait plus manqué que ça! dis-je. Ce qui me fait penser: J'ai laissé mes deux valises au bord d'un champ de blé, à peu près à un demi-mille d'ici.

— Vous êtes arrivée par le train? Mais il y a presque une heure qu'il est passé. — Il réfléchit un moment, se rappela: C'est vrai, on a cru remarquer qu'il s'était arrêté... oh, à peine!... Des fois, c'est juste le temps de laisser un paquet... C'était donc pour vous!

Sa curiosité un peu apaisée, il me dit de ne pas m'en faire pour mes valises.

— Là où vous dites que vous les avez laissées, il n'y a rien à craindre. Y a pas un chat aux environs... Je les enverrai prendre à la première clarté du jour.

Puis il s'offrit de me montrer ma chambre.

Je gravis derrière lui un escalier étroit, le suivis dans un couloir. Il ouvrit la porte d'une petite chambre propre et avenante mais où semblait s'être concentrée toute la chaleur de l'été. Il en ouvrit la fenêtre et m'avertit:

— Va falloir que vous attendiez un peu pour que ça se rafraîchisse.

Je redescendis avec lui.

La conversation, dans notre dos repartie à belle allure, de nouveau s'affaissa.

Mon homme ayant repris sa place derrière le comptoir et s'étant remis à feuilleter ses vieux magazines, je cherchai longuement quelque sujet de conversation.

— C'est à vous l'hôtel? lui demandai-je à la fin.

— Je l'ai acheté il y a deux ans d'un nommé Dybrovski.

Nous avons été longs à digérer cette phrase. Beaucoup plus tard, j'en revins à mon idée:

— Vous en vivez?

— De quoi?

— De l'hôtel.

Il eut un peu aimable sourire qui semblait embrasser toutes gens de mon espèce.

— Si c'était rien qu'avec les passants!... Avec la taverne, oui, à peu près...

Nous eûmes tous deux l'œil attiré par un client qui se nettoyait les dents, bouche grande ouverte, avec ses doigts.

— Veillez-vous souvent si tard?

— On n'aime pas mettre les gens à la porte...

Sur ce, comme s'il avait pris pour lui le reproche, l'Huttérite barbu dit: «*It is late...*» puis se mit debout, fit quelques pas vers moi et me débita solennellement dans un anglais au fort accent germanique:

— *Upon your coming to visit the Hutterite colony of Iberville, do not forget to ask for me, Joe Wallman, the shepherd. I shall be honoured to be of some assistance to a young lady from Québec.*

Ainsi donc, au bout de la longue observation de ma personne à laquelle il s'était livré, mon histoire lui paraissait enfin convaincante. Mais ils étaient peu à partager les sentiments de l'Huttérite devenu si aimable. Ce que j'avais contre moi de plus damnable, ainsi que je l'appris plus tard, c'était de parler français avec un léger accent que j'avais pris en France et l'anglais, à ce qu'il paraît, avec des intonations me restant de mon passage en Angleterre. Seul l'Allemand huttérite n'était pas tellement étonné de tout cela. Il me fit un salut de son extraordinaire chapeau noir et s'en alla.

A peine était-il sorti que les langues se délièrent un peu.

— Sacré monde hypocrite! fut-il dit à son sujet. Ça fait vœu de tempérance, de tout ce que vous voudrez, mais c'est toujours à l'hôtel à essayer de se faire payer une bière.

— C'est pas à cause d'une bière de loin en loin qu'il faut traiter Wallman d'hypocrite, rectifia l'hôtelier. Wallman est un bon diable.

Le chicanier parut vexé. Il enfonça plus profondément d'un coup de poing le graisseux chapeau de cow-boy qu'il portait vissé sur la tête apparemment depuis bien des lunes et nous souhaita un bonsoir bougon. Lui également parti, le silence retomba, plus dense encore. La suspicion ouverte se lisait maintenant dans tous les regards. On était en temps de guerre. On voyait partout des espions... Or je disais être arrivée par le train, mais la preuve? Des valises? A un mille, et que personne n'avait vues! Et qu'est-ce que j'avais, étrangère, à poser sans cesse des questions, plutôt que d'y répondre, comme il se doit?

J'essayai un moment de soutenir ces regards qui me scrutaient sous le bord des vieux chapeaux. Cette cour de juges en débraillé, contrairement à l'usage qui veut que ce soit l'accusé, par respect, qui porte chapeau, exhibait des couvre-chefs apparemment fixés à demeure. Mais j'étais fatiguée, je tombais de sommeil. J'allais me retirer, laissant à leurs conjectures ces hommes méfiants. Comme j'atteignais l'escalier, la voix de l'hôtelier me rappela:

— Vous n'avez pas signé le registre.

Je revins sur mes pas. Je pris la plume toute prête de la main de l'hôtelier. J'écrivis mon nom et mon adresse à la suite d'un nommé Wilkinson, inscrit pour une nuit il y avait de cela un peu plus d'un mois. J'étais déjà bien assez enfoncée dans l'esprit des «écouteurs». Qu'est-ce qui me prit de les étonner davantage par une autre question intempestive? C'était comme si je ne pouvais m'en empêcher, leur curiosité hostile appelant la mienne en représailles.

— Que venait faire ici Wilkinson? demandai-je malgré moi, et peut-être d'une voix sévère.

La rangée de vieux chapeaux remonta d'un coup. L'hôtelier tressaillit.

— Wilkinson? Quel Wilkinson? — Et sans tarder, il me demanda avec de l'inquiétude: Etes-vous du gouvernement?

— Le Wilkinson ici... dans votre registre.

— Ah! celui-là! C'est un représentant de Fuller Brush.

— Ça existe donc encore!

— Bien sûr!

— Le Pain Killer aussi?

— Aussi... Mais vous-même, qui représentez-vous?

On aurait pu se croire en train de jouer une scène genre *Le Revizor*.

— Personne. Je viens glaner les matériaux d'une enquête.

— Une enquête! Vous faites une enquête!

— Sur le Canada.

— Le Canada!

— Oui. Qu'est-ce que c'est le Canada? Et d'abord y a-t-il un Canada?

Les yeux troubles, il m'examina avec une nette désapprobation.

— Comment ça, y a-t-il un Canada!

— Tout le monde se le demande.

Le peu d'amabilité et de politesse qu'il avait fini par m'accorder, à la miette, d'un coup m'était repris. Dans le coin de la salle où ils se tenaient ensemble, les vieux chapeaux ne bronchaient plus. Soudain j'en eus assez, je tirai vers moi le registre à couverture de papier brun. Sous la signature du vendeur de brosses, je mis la mienne.

L'hôtelier à son tour attira le cahier, jeta un coup d'œil à ma signature, y prit soudain intérêt.

— Vous êtes une Roy?

Sa rigueur et son animosité fondaient à vue d'œil. Finalement, il me sourit et je trouvai alors que son visage avait quelque chose de sympathique.

— Je suis Dave, fit-il.

— Dave?

— Oui, Dave.

Je ne sais ce qu'il attendait de moi. Dans le doute, je préférai me tenir sur mes gardes. Pour marquer une certaine distance, ou peut-être par embarras, je m'absorbai dans l'étude du cahier. Le dernier client inscrit avant Wilkinson était un nommé Marchand. Je demandai, sans trop me rendre compte que j'en étais de nouveau à questionner:

— Ce Marchand-là venait du Québec?

— Quel marchand?

Je fus surprise par le changement à nouveau survenu dans la physionomie de l'hôtelier, toute trace d'amabilité encore une fois disparue. Il s'était fait froid, distant, on l'eût dit blessé.

— Qu'est-ce que ça peut vous faire qu'un marchand soit venu ici!

Je haussai les épaules et souhaitai assez raidement le bonsoir à la ronde.

Avant de m'engager dans l'escalier, je dus toutefois montrer un meilleur visage à l'hôtelier, car j'avais à le prier de me faire réveiller à sept heures et de me commander un taxi si possible pour huit heures afin d'être tôt arrivée chez les Huttérites.

— C'est donc vrai cette histoire? Vous allez vraiment rendre visite à ces gens?

J'avais en tête d'étudier une de leurs colonies, ensuite divers groupements ethniques du Canada, sans idée bien nette où cela me conduirait. Au vrai, j'étais à mes tout débuts dans le journalisme, fort gauche, mais l'accueil plutôt froid que j'avais reçu et cette timidité dont j'étais alors affligée me poussèrent à vouloir à tout prix me donner de l'importance. J'annonçai donc résolument: «Je fais une enquête à travers tout le pays...» loin de me douter que je la ferais en quelque sorte malgré moi, cette enquête, une chose en appelant une autre, que je me verrais à la fin avec de quoi écrire sur le Canada et ses gens pendant toute ma vie, et que même ma vie n'y suffirait pas.

— Pour savoir quoi? me demanda-t-il.

A tout hasard, je répondis:

— La vérité.

Les chapeaux dans le coin me parurent se rapprocher comme pour se mettre d'accord contre moi. L'hôtelier se figea. Je ne savais pas encore que d'annoncer la recherche de la vérité met presque tout le monde en état de défense. Il y avait comme une peur tangible autour de moi.

Je dis un nouveau bonsoir et montai à ma chambre.

A l'heure dite, l'hôtelier me précisa sèche-ment à travers la porte:

— Il est sept heures. Votre taxi sera là à huit heures. C'est cinq dollars pour le voyage à Iberville. Vos valises sont dans le passage.

Quand je descendis, il était derrière son comptoir, l'air mal réveillé, non rasé, qui feuil-letait toujours ses vieux magazines. Je me demandai s'il était possible qu'il y trouvât encore du neuf.

Evidemment, ce n'était que pour se donner une contenance, car, à plusieurs reprises, pendant que je buvais mon café, qu'il m'avait lui-même servi, je saisis de sa part ce même regard blessé de la veille, qui m'intriguait si fort. En même temps il semblait prêt à m'adresser quelque reproche qu'il retenait de justesse. Ce n'est qu'au moment où j'allais franchir la porte qu'il m'attaqua dans le dos:

— Vous êtes du drôle de monde.

— Moi?

— Du drôle de monde! reprit-il. Vous arrivez ici. Vous questionnez tout le monde. Vous faites enquête, comme vous dites. Vous arrachez les vers du nez, mais, par exemple, vous prenez bien garde de vous faire à connaître, vous!

Sa singulière expression exsudant à la fois le blâme et comme un désir de rapprochement me troublait à la fin.

— Je suis Dave, recommença-t-il, avec espoir.

Alors, du fond de mes vagues souvenirs lointains, remonta le nom de David que j'avais dû entendre prononcer à la maison. S'agissait-il d'un fils d'un neveu de mon père?

Je revins sur mes pas.

— Seriez-vous?...

— Eh oui! s'écria-t-il tout joyeux et triomphant. Je suis votre cousin Dave.

ÉLY! ÉLY! ÉLY!

Il n'en finissait plus de rappeler : Je le disais aussi, je le disais à ma femme, tu vas voir, elle va se faire à connaître. Venez-vous souper à la maison ce soir? En famille?...

J'y allai. Dave avec sa femme Rosalee et sa fille Jacinthe habitait une charmante petite maison à toit pointu, toute basse entre de grands arbres et des fleurs innombrables. Depuis des heures, la table était mise, à m'attendre. Rosalee s'était donné beaucoup de peine pour préparer un repas digne de ces mystérieuses retrouvailles.

Nous avons passé quelques heures très gaiement ensemble. Je n'étais pas tout à fait sûre qu'ils fussent mes cousins. Certainement ils citaient de mémoire bien des propos et expressions de mon père, mais dans ce village qui ne l'avait connu? Qui du moins ne se rappelait son œuvre de colonisateur? De toute façon, peu importait. Au mur, il y avait tout comme chez nous, lorsque j'étais enfant, un portrait du pape Benoît XV et, bien entendu, du frère André. Il y avait aussi la même image de la Sainte-Famille que j'avais toujours vue dans notre cuisine au-dessus de la machine à coudre de maman, et ici aussi elle était exactement au-dessus de la machine à coudre. Manifestement nous étions en famille. Le Québec était

118

partout présent, où que vous tourniez l'œil, chez ces gens qui n'y avaient pourtant jamais remis les pieds depuis leur départ pour ainsi dire au berceau. Mais leur doux parler était celui du Québec. Leur amitié si chaude et bienveillante en était.

Curieuse chose! Longtemps avant la télévision et la radio, le vieux Québec, le Québec seul et pauvre émettait des ondes de vie. Elles se propageaient en tous sens; elles atteignaient des villages lointains, les hameaux perdus, même des maisons seules comme celle où j'étais ce soir, et elles les réchauffaient de l'humble feu partout ressenti.

Mon enquête commençait bien. Dès le départ, je redécouvrais la mystérieuse flamme de solidarité qui avait brillé pour moi dans la plaine et m'avait, en partie, faite ce que j'étais.

Je le dis à mes «cousins» qui s'en montrèrent émus. Ils me prodiguèrent alors mille bons conseils utiles sur la manière d'approcher les Mennonites sensibles mais réticents, les Doukhobors farouches au premier abord mais ensuite si accueillants, les Ukrainiens quelquefois abrupts, mais rien ne valait leur amitié quand ils la donnaient. En somme, à ce qu'il me sembla, ils me parlèrent des hommes en général.

ÉLY! ÉLY! ÉLY!

Une semaine plus tard, je fis à nouveau arrêter le transcontinental rien que pour moi. De mémoire d'homme cela ne s'était jamais vu à Ely, à deux reprises, en si peu de temps. Il fallait pour cela agiter devant la locomotive une sorte de drapeau pris à un clou sur la façade de la gare qui, elle, à cette heure, dormait profondément. Strictement parlant, cela ne se faisait pas. Mais j'avais lu dans l'horaire du CN qu'on en avait le droit. Pour plus d'efficacité je me plaçai en plein milieu de la voie en agitant mon fanion à tour de bras dès que je vis poindre l'œil étincelant de la locomotive. Elle stoppa juste à l'endroit d'où je venais de me reculer. Dans le noir profond, j'eus beau scruter le train, nulle part je ne voyais d'entrée possible dans son flanc lisse: les sept ou huit premiers wagons étaient des sleepings, toutes portes inviolables, où dormaient les gens, sauf peut-être ceux qui avaient été réveillés en sursaut et devaient se demander «dans le monde pourquoi est-ce qu'on arrête dans ce trou?»

A la longue, beaucoup plus loin, nous avons distingué, mes cousins et moi, le feu d'une lanterne secouée dans un geste qui semblait signifier: «Par ici. Par ici. Et pour l'amour du ciel, dépêchez-vous.»

ÉLY! ÉLY! ÉLY!

Ce n'était pas tout à fait aussi loin que là où m'avait laissée le train à l'arrivée, mais c'était à bonne distance. Nous avons couru avec mes valises, à bout de souffle, n'osant ralentir à cause de ces petits crachotements de vapeur par lesquels le gigantesque train semblait presser notre allure.

Enfin je distinguai un marchepied bien petit, bien seul, dans cet univers de nuit, de voyage, d'errance et de silence. A côté, se tenait le chef de train. «Mon» chef de train. Il dit, avec moins de blâme, me sembla-t-il, qu'une réelle satisfaction de me retrouver dans ce grand Canada:

— *So, it is you!*

Il me donna le temps de faire mes adieux à mes cousins.

Nous sommes montés, lui et moi, avec la lanterne, les valises et le marchepied, et aussitôt le train, en partant, nous envoya nous cogner le nez contre une paroi.

J'eus un wagon presque à moi seule. Après avoir installé mes valises et vérifié mon ticket, le chef de train ne s'en allait toujours pas.

Il voulait savoir si j'avais aimé Ely, et peut-être, lui aussi, dans le fond, sans l'avouer, ce que j'étais venue y faire. Surtout, je pense, il avait le goût de s'entretenir avec un être humain. Ces longs trajets de nuit à travers la prairie sans relief, presque sans lumière, comme retournée à son état primitif, devaient le plonger dans l'ennui. Par moments, j'avais pressenti que nul ne s'ennuie autant sur terre que celui qui est de la race des voyageurs, mais je n'avais pas jusqu'alors pensé à y inclure les chefs de train.

Aujourd'hui, je regrette de ne pas l'avoir écouté. Mais il avait l'air parti pour me raconter sa vie entière: son enfance à Liverpool, ses années à Montréal, puis à Winnipeg, enfin son existence qui semblait ne pouvoir se dissocier de celle du CN.

Mes propres pensées m'appelaient. J'écoutais mal. Il finit par s'en apercevoir. Il s'en alla à regret.

Alors je laissai aller ma tête contre le dossier. Je savourai mes souvenirs récents. J'attendais mieux encore de demain. Les longs coups de sifflet des trains qui maintenant me déchirent le cœur, en ce temps-là m'exaltaient. Dieu que j'étais heureuse, en mouvement, disponible, toute à l'inconnu de notre pays comme à tout l'avenir encore possible du monde.

MISE EN PAGES ET TYPOGRAPHIE :
LES ÉDITIONS DU BORÉAL

CE QUATRIÈME TIRAGE A ÉTÉ ACHEVÉ D'IMPRIMER EN JUILLET 1998
SUR LES PRESSES DE TRANSCONTINENTAL IMPRESSION
IMPRIMERIE GAGNÉ, À LOUISEVILLE (QUÉBEC).